充実した模型ライフのための環境構築術

MODELLER'S Room Style Book 3

モデルグラフィックス編集部／編

——モデラーズルーム スタイルブック3——

Yamashiro's Room

Netarou23 , Mitsuo Komiyama , Pico , Tadayoshi Yamamura , K.Z.G. ,

Dai Sasahara , WildRiver Naoto Arakawa , Makoto Hirai , Gatto Works , Hata ,Noriyuki Kubo ,

Tadanobu Kuniya , Boyknife , Satamami , Tobibuta , Chario & Kouichi Inai ,

Youta Tokunaga , Masaya Yamashiro , GUCCI , Abusan , Kigusan , Yuu3

大日本絵画

はじめに

総合模型誌『月刊モデルグラフィックス』の人気連載「帰ってきたコクピット　模型部屋を作ろう」ではモデラー／アーティストの模型部屋／アトリエを取材させていただいていますが、それをカラーにて再編集したのが本書になります。2017 年に刊行された第一弾、2020 年に刊行された第２弾に続いての第三弾となります。第三弾では多くのプロモデラーが登場したり、再度環境が変わって再登場している方もおりますが、あえて、３つのスタイルに分けて収録しています。アメージングスタイルではちょっとこれは真似できないぞ、というおもしろいモデラーの部屋を紹介。プロフェッショナルスタイルでは、プロの造形家、フィニッシャーなどの方のアトリエを収録しています。最後にホームリースタイルと名付けているのは、家族とどう折り合いをつけているかをテーマに部屋を構築している方を中心にあつめています。もちろん厳密なスタイルの違いがあるわけではありませんので交差する方もいらっしゃるのは承知でこのように分けてみました。これだけの部屋がカラーで掲載されると情報量が圧倒的に増えますので、ぜひ写真から収録された皆さんのこだわりを見いだしてみてください。きっとちょっとしたヒントや考え方などご自身の模型部屋を構築する際の参考になることでしょう（月刊モデルグラフィックス編集部）

MODELLER'S Room Style Book 3

INDEX

MODELLE
ROOM STY
BOOK 3

MODELLER'S
Room Style Book 3

Amazing Style

NET ARROW23 / Mitsuo Komiyama / Pico / Tadayoshi Yamamura

模型部屋を準備できる人のなかでも、突拍子のない方法でそれを実現している人たちがいる。特殊な環境からそうなった人もいれば、それを目指した人もいる。ただだれもが真似できるものでもないし、真似する必要はないはず。まずは拝見しよう。

岐阜337
た・8 23

NET ARROW23

カフェルーム&ガレージで模型

カイゼンの真逆をいくムダを楽しむ趣味の空間

Modeler's Room 3

NET ARROW23

Amazing Style

大好きなものにかこまれて過ごしたい。その思いから
ガレージとカフェルームをくっつけてしまった本物件。
模型部屋を特定せず最低限の模型製作ツールをもって
その日の気分で作業する場所を移動するという非常に
贅沢な作りになっている。

突然ですが皆さん、模型部屋のカイゼンやっていますか？　限られた時間のなかで模型を作るうえで大切なのは効率ですが、効率を求めるあまり、楽しめなくなってしまったら本末転倒ですよね。そこで僕はムダも楽しめる空間作りを大切にしています。

大好きなものに囲まれて過ごしたい、1／1のダイオラマを作ろう、そんな想いでこのガレージをデザイナー、大工さん、友人たちといっしょになって製作しました。内装や塗装はすべてDIYです。扉や板材のエイジング加工は必見です！　模型でいうところのウェザリングが施されています。

僕は基本的には部屋を限定せずにどこでも作業できるように、小さな工具箱をひとつだけ持って行き、好きな場所で作業をしています。その日の作業に必要な工具だけを工具箱にピックアップして持ち出すことで小スペース化を可能としています。お気に入りの作業場所はガレージを見渡せるカフェスペースで、ここで好きな音楽を聴きながら、コーヒー片手に模型を楽しむことがいちばんのストレス

●ガレージを開けた様子と、カフェコーナーからガレージを大判のガラス戸越しに覗いた様子。ガレージには自家用車のほかに単車もとめてある。また塗装工程は換気の関係からガレージの一角に塗装ブースを設け、そこで行なっている

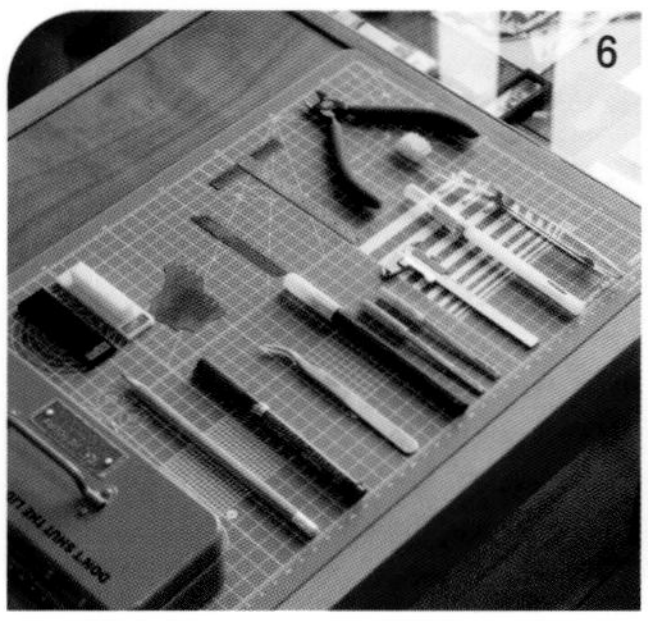

1ガレージ、カフェルームとは別に自室を持つ。こちらは在庫キットの保管のほか、完成品の展示、工作道具の保管などを行なっている **2**完成品はガレージにもかざっている。**3**ガレージ内の塗装ブースはタミヤ製のツインファン。**4**カフェルームではYouTube用の動画撮影も行なう。**5**在庫キットの一部。キャラクター物が多い。**6**最小限度だけの工具をツールボックスに入れて作業場所を移動する。**7**工作マテリアルの保管にもこだわりをもつ。市販のカーゴにフック類を取り付けて種類別にキレイにレイアウト保管するようにしている

NET ARROW23's Room

Room Spec

- 場所：岐阜県某所
- 築年数：7年
- 住居形態：2階戸建て
- 間取り：4LDK+ガレージ

発散になっています。模型の撮影スタジオも兼ねており、ここで撮影ブースを展開して撮っています。最近、YouTubeでの動画配信もはじめたのですが、その撮影もここで行なっています。模型製作の撮影は長期間にわたりますのでその間、照明やカメラ等の機材が部屋に出しっぱなしになり片付かないのが気掛かりですね。

塗装ブースはガレージの片隅に設置しています。古いミシン台を机にリメイクして使用しています。こちらもDIYです。ここでもその日、塗る予定のない塗料は机の上には出さないようにしています。照明は塗装時や調色する際は正確にできるよう白色に、部屋の雰囲気を楽しみたいときは電球色にボタンひとつで変更できるLED電球を使用しています。これらのスペースのほかに自室ももちろんあるんですがそっちは在庫キットで溢れています。すべての部屋をオシャレにカッコよくはなかなか難しく、諦めています。作例で使用するSDガンダムの瞳シールをデザインしたり、写真や同人誌の編集など主にPCを使った作業をしています。部屋の壁はコンクリートに見えますがここでも模型的アプローチとして、コンクリート風壁紙を貼って表現しています。■

寝太郎23

寝太郎23（ねたろうにいさん）SDガンダム大好き世代!BB戦士を中心に模型製作をしています。好きなことを全部楽しもうをモットーに最近ではYouTubeをはじめました。チャンネル登録もよろしくお願いします!

店内の床下に模型部屋が現れた！

Amazing Style

Modeller's Room 3

Mitsuo Komiyama

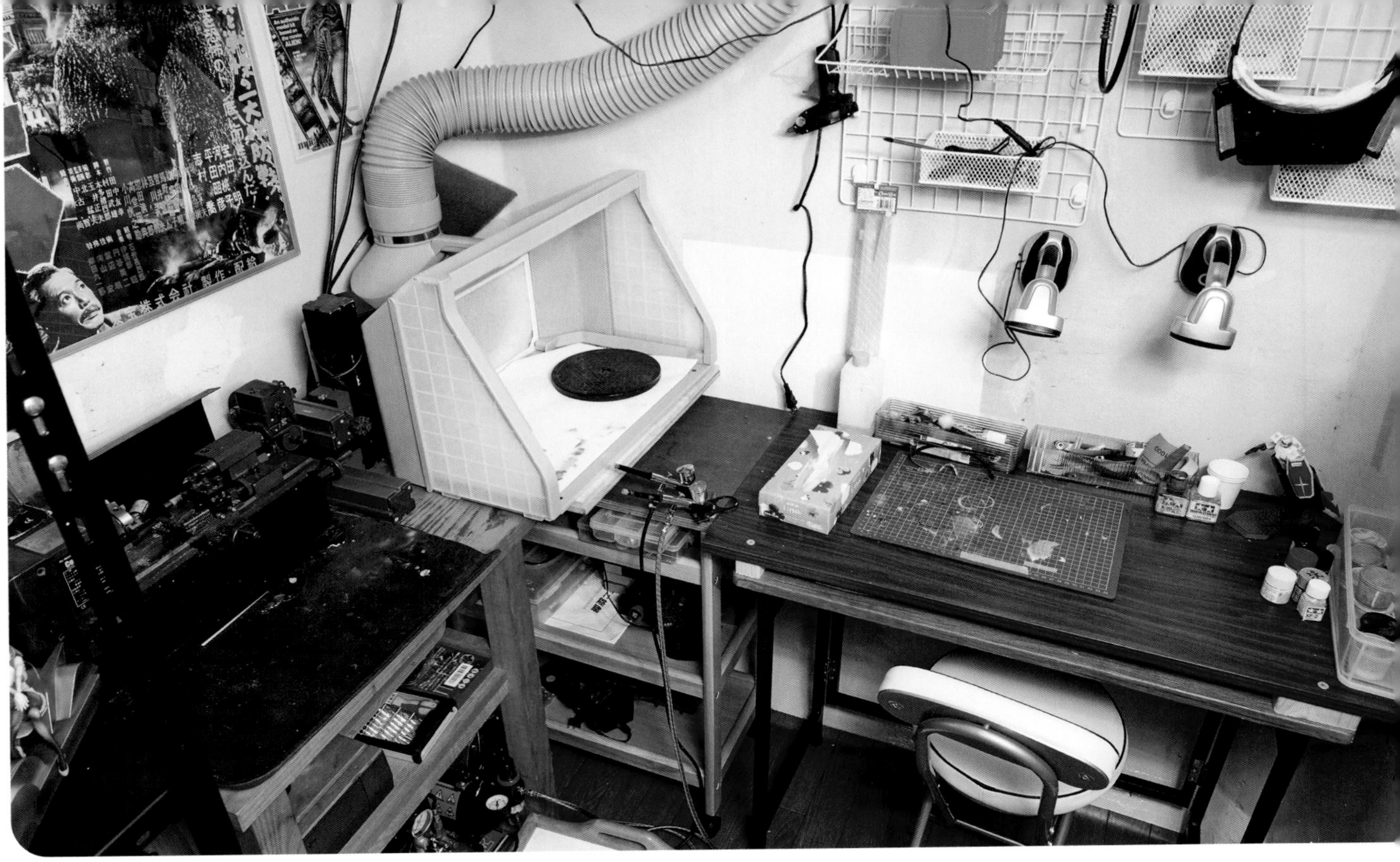

店舗の地下室が模型部屋に早変わり

Modeler's Room 3

Mitsuo Komiyama

Amazing Style

川崎駅からほど近いカフェバー『ペパーショップ』は、『スター・トレック』ファンの間では有名な店。店主の小宮山氏はトレッキーの間では有名なカリスマモデラーで店内は電飾された各種エンタープライズ号が並べられている。そんな小宮山氏が店の物置として使っていた地下の空間を整理、模型も作れる自身のコレクションを並べるスペースとして作り替えたのがこの地下室なのだ

▲壁にはお気に入りのフィギュやカードをずらりと貼り付けられている。はやり『スター・トレック』関連のものが多い
▶この地下室におりるには、この階段をおりなくてはならない。まさに秘密基地の趣がある空間だ

当店「ペパーランド」にはじつは二ヵ所、一部屋約三畳ほどの地下室があります。

一か所は従業員の着替えなどに使用する更衣室として使用、もうひとつは店内の商売に使用する各種道具などを保管しておく収納室兼物置き部屋として使用しておりました。しかしそちらの部屋が長年の営業に伴う粗大な不要物などが山のようにたまってしまいなにぶん人目に触れないこともあり掃除もおこたりがちになり、とても人にお見せできるような室内ではなくなってしまっておりました。

今回の新型コロナウィルス騒ぎに伴う営業自粛で約二カ月間休業を余儀なくされ個人的に時間だけは余裕ができたこともあって普段掃除などがが滞っている所やキッチンなどのメンテナンス　そして放りっぱなしになっていた地下室掃除を決断しました。

不要なモノを大幅に処分して室内を大掃除、店内のケースに飾ってある自分の作品などの保管場所として利用しようとたくらみスチール棚を設置、さらに簡単な工作部屋としても使えるように塗装ブースやコンプレッサー、小型旋盤や糸ノコ盤なども持ってきてしまいました。

最近友人の『スター・トレック』ファンの方々が自宅のはなれなどを改装して内部に『スター・トレック』のフィギュアなどを並べて、秘密基地化している方々がいらっしゃり、その方達の影響で店内に並べきれない完成品などを並べてこちらも秘密基地っぽいイメージになれば、と考えました。

したがって並べてあるものはやはり『スター・トレック』関係の商品や雑誌での作例などのキットの完成品が多くなります。

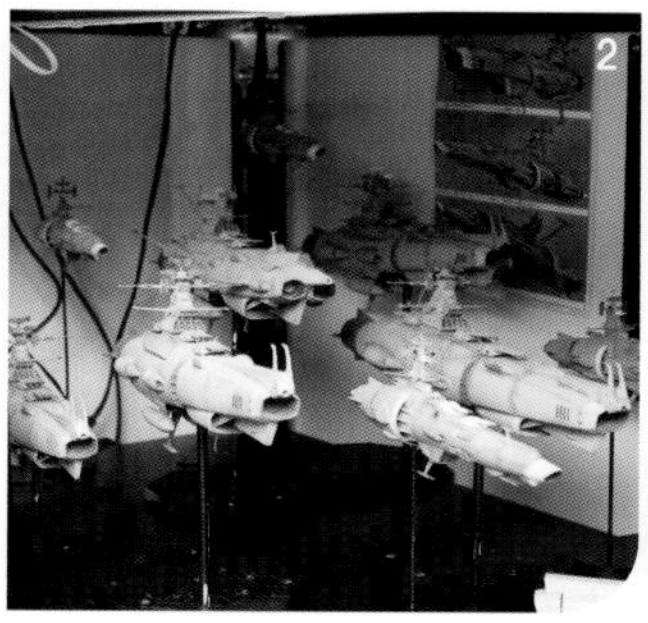

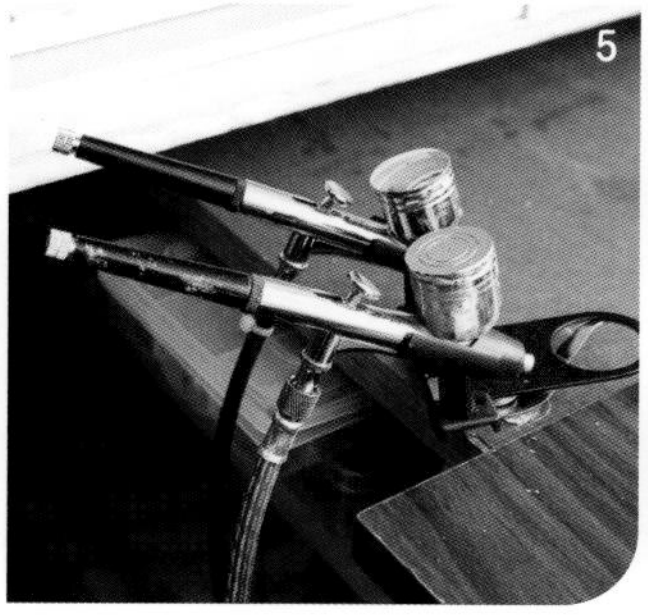

1『2001年宇宙の旅』のPODも電飾で光る。**2**『宇宙戦艦ヤマト』の地球艦隊がずらり **3**ファン垂涎の『スター・トレック』グッズもずらり。**4 5**エアブラシやコンプレッサーにはこだわりがないという。「最近は安くなりましたからね。壊れたらまた買いなおします」とのこと。**6**旋盤はエンタープライズ号の機体先端のディフレクターディッシュをブラスで削りだすのに多用している。**7**手元を照すLED照明

Komiyama's Room

Room Spec

- 場所：川崎市川崎区砂子2-2-2 小宮山ビル一階
- 住居形態：ビル（3階が自宅）
- 模型部屋の大きさ：約3畳
- 家族構成：独身で猫のタローと同居中

小宮山満雄

6月27日生まれ　かに座　独身　猫のタローと二人暮らし　血液型A型　川崎のショットバー「ペパーランド」の経営者でございます

代表的なところではレベル社の最近の劇場版で活躍している（ファンからはJJ版と呼ばれている）エンタープライズや、AMT社のカットアウェイという内部構造が再現されているキットを改造したオリジナルシリーズのエンタープライズ、AMT社のD型エンタープライズや敵メカであるクリンゴンやロミュランの戦艦、新作模型ですと1079年劇場版第一作公開時にAMT社から発売された改装型といわれるエンタープライズなどが並んでます。

この改装型エンタープライズは現在でこそポーラーライツ社から1／350の決定版ともいえるキットが出ていますが、かつてはみんなこのAMT社の改装型キットをベースになんとか劇中のエンタープライズに近づけるべく、壮大なる野望をもってチャレンジしたものでした。

しかしながら当時の、とくに電飾に使用できるマテリアルはほとんど麦球のみに限られておりました。それから約40年、LEDやそのほか電飾に使用できる素材の進化はすさまじく、現在ではかつての懐かしのキットをかなり劇中のイメージに近づけることが可能となりました。

営業が終わったあと、この地下室にある模型の電飾を点灯させ、眺めて一杯やるのが至高の楽しみとなっております。■

部屋の奥にあるのは、大人の秘密基地でした

Amazing Style

Modeller's Rooms 人 Pico

夢のような空間で幸福なひとときを

Modeler's Room 3

Pico

Amazing Style

『月刊モデルグラフィックス』で電飾を施した作例を随時発表しているピコさんは、自室の小扉をあけると現れる屋根裏部屋を模型部屋として活用している。

▲ご覧のとおり、本当に屋根裏の空間。そこに模型製作工具一式、トイ、ポスターなどを持ち込み模型部屋として仕立てている。屋根裏部屋だけに夏は暑く、冬は寒いという

もともと工作などの作業は離れにあるリビングで行なっていたリビングモデラーなのですが、その離れで猫を飼育しはじめてからは事故防止のため、それまで塗装部屋としていた母屋の屋根裏に簡易的に机をもうけて工作も可能にし、模型作業部屋となりました。

リビングでの作業は家族に迷惑をかけないよう、ニオイや粉、音の出る作業がやりづらかったのに対し、模型作業部屋を屋根裏にまとめてからはニオイや粉は互換ブースに吸ってもらえるし、音は屋根裏なので気せずに済む……と、どの時間帯でもどんな作業でも遠慮せずに行なえるようになりました。住んでいるのが田舎ゆえに、お隣まで騒音などが届かない……というのも幸いしています。さらにいうと、自身の好きな『スター・ウォーズ』などのグッズや未製作の模型の保管場所でもある屋根裏での作業は、好きなおもちゃ屋さんにいるかのようで、リラクゼーション効果も高いはず。

とはいえごらんのとおりの完全な屋根裏、断熱材などもないので夏は熱く冬は寒い劣悪な環境なのですが、クーラーやヒーターなどの文明の利器を用いてやり過ごしています。

屋根裏手前の部屋はおもに書籍や完成品の保管場所となっているのですが、そのクローゼット内には撮影ブースを常設、編集部へ発送する際の梱包、緩衝材や段ボール箱といったものも収納しているので、模型に関するいっさいのことがこのふた部屋で完結するようになっています。

とはいいつつも、普段の生活は家族と共に住む離れになるので、そちらのリビングにも最低限作業ができる環境は整えてい

▲雑誌作例で作った科特隊本部。フルスクラッチビルドの大作

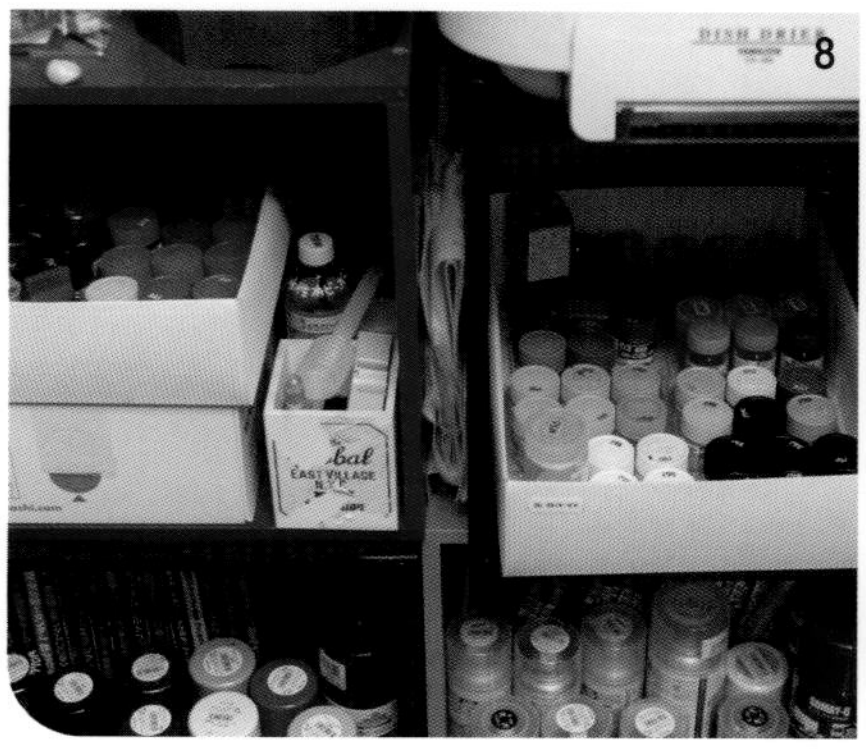

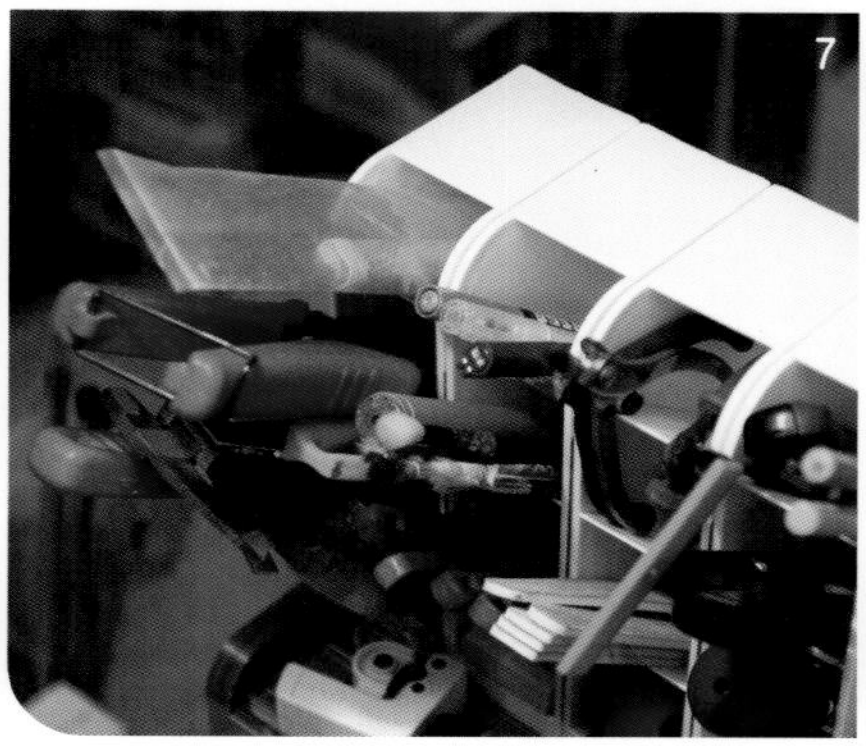

1自室には自作の完成品などがケースにいれて展示されている。2 3天井裏というと薄暗いイメージだが、直管形蛍光灯に乳白色のカバーがついた天井照明で部屋全体をやわらかく照らし、手元光とは別にしているので不自由はないそう。4 5塗装ブースには互換ブースを使用。窓にスタイロフォームを設置し排気をおこなっている。6エアブラシは0.3㎜のトリガー式とダブルアクション式の2本。7工具は100円均一ショップで手に入る斜めの鉛筆立てを複数使用している。8「自分の思い描く色は自分で作るしかない!」と、ほとんどの色は混色で作っている。そのため塗料のストックも基本色系が中心で、中間色や特色類は驚くほど少ない

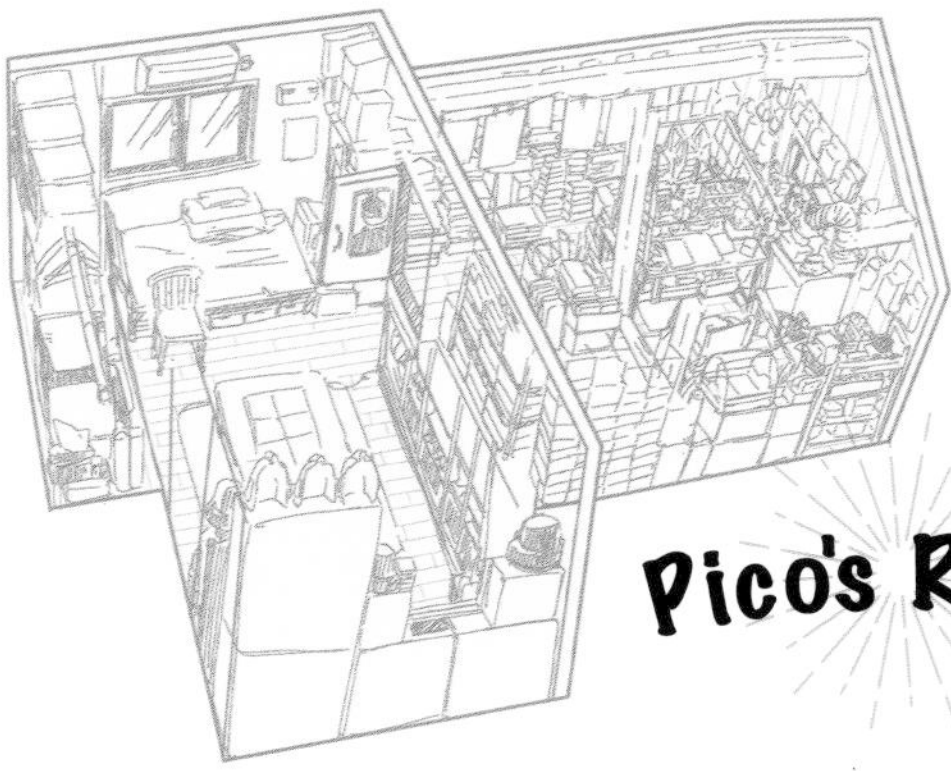

Pico's Room

Room Spec

- 場所：高知県 西のほう
- 住居形態：戸建て（持ち家）
- 築年数：20年
- 建物全体の間取り：6LDK
- 模型部屋の間取り：四畳半程の屋根裏部屋
- 家族構成：本人＋妻＋子供2人＋両親

ます。そちらは家族共用スペースなので今回妻から取材NGを言い渡されてお見せすることはできませんが、家族の声が聞こえる範囲で模型を製作するというのも、制限はありますが楽しいものです。

なお製作空間としては完成形というわけではなく適宜改良を加えており、塗装机の上に乗っている塗料棚（おもに調色した塗料を保管しておく用）なんかもつい先日自作したモノです。ホームセンターで45㎝幅の板材を買ってそれを背板とし棚を作ってみたのですが、おそらく皆様愛用されているであろうGSIクレオスMr.カラーが横に13本、Mr.ウェザリングカラーが横に10本ちょうど収まるサイズとなりました。もしこれから塗料棚の自作を考えている、という方は「幅45㎝」をぜひ参考にしていただければ、きっと気持ちよく使える棚ができあがるはずです。

またおかげさまで、娘ふたりのうち次女のほうが模型製作に興味を持ち、この製作部屋にたびたび来ては、興味を持つプラモデルを私にねだり、ときにはいっしょに製作したりするようにもなりました。どんな趣味も家族の理解あってこそだと思うので、そこはこれからも大事にしていきたいと思っています。■

ピコ

雑誌では『スター・ウォーズ』系やダイオラマ系、磁力で浮かす(!?)などさまざまな魅せ方を見せる変幻自在モデラー。意外なことに、本格的に模型製作を開始したのは比較的近年だとか

12畳の空き部屋でDIYにいそしむカスタムマニア

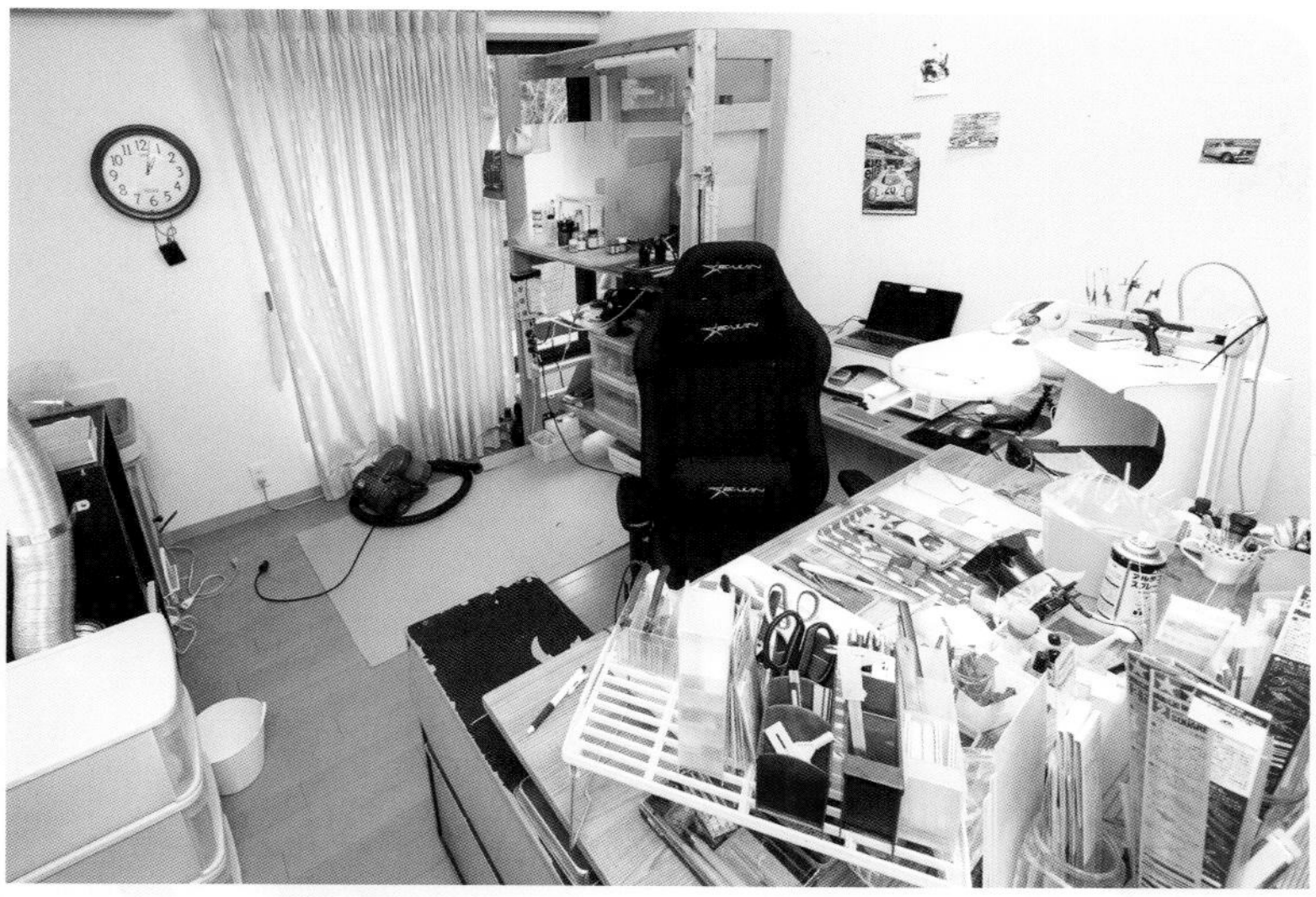

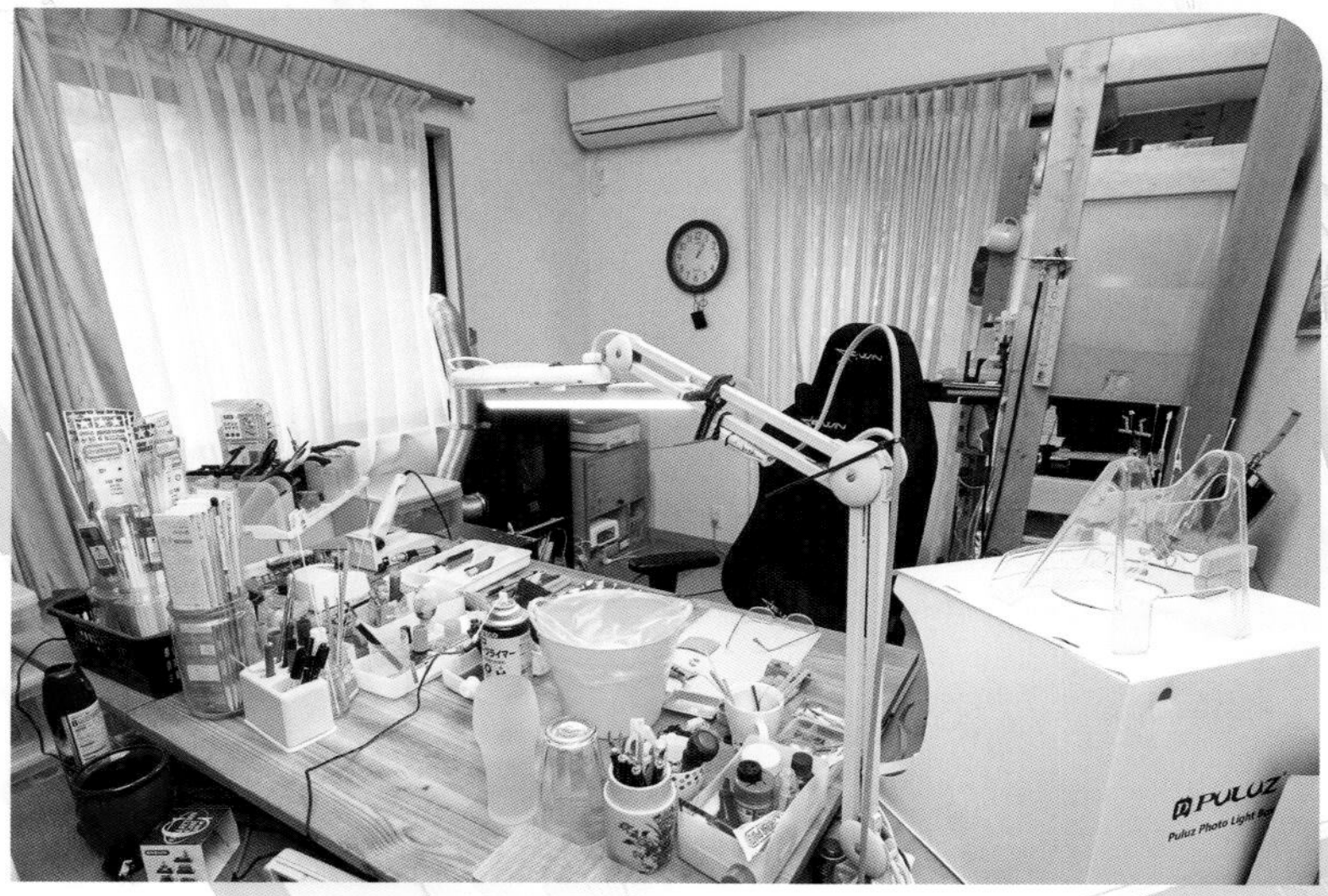
PULUZ

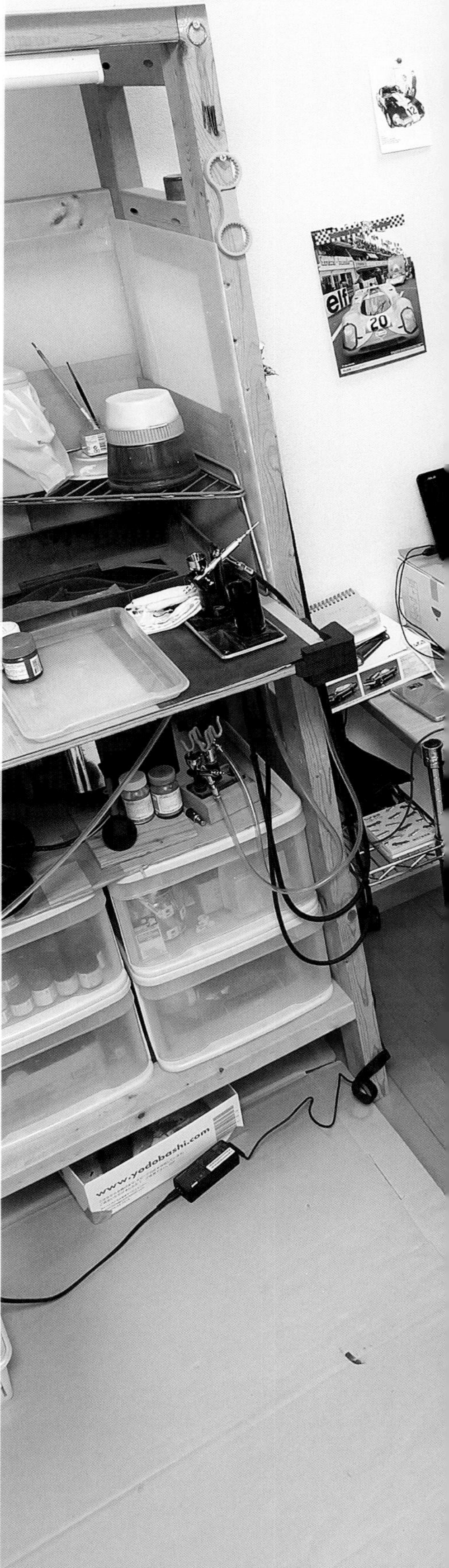
www.yodobashi.com

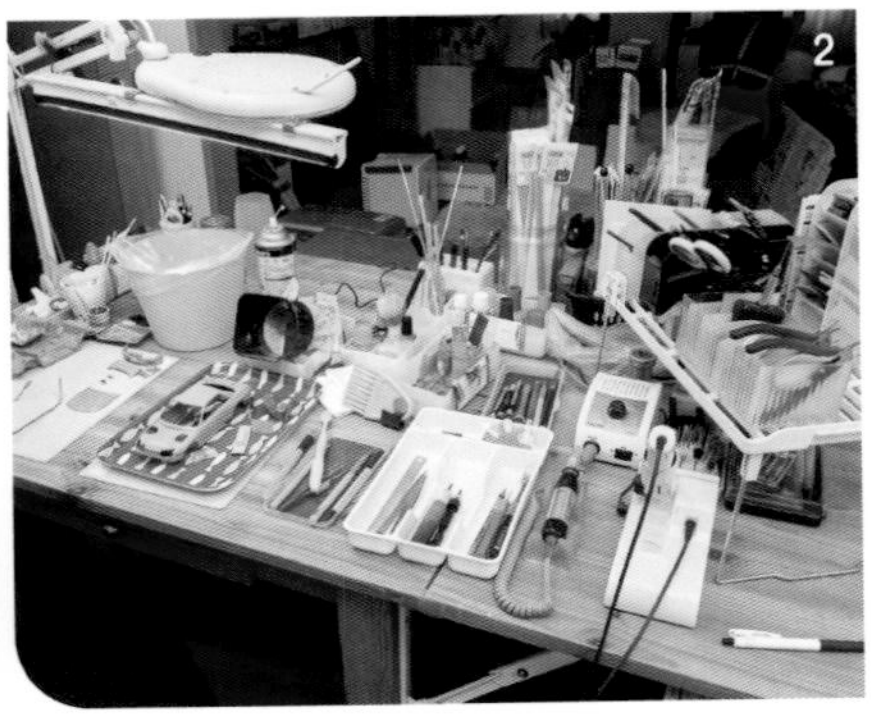

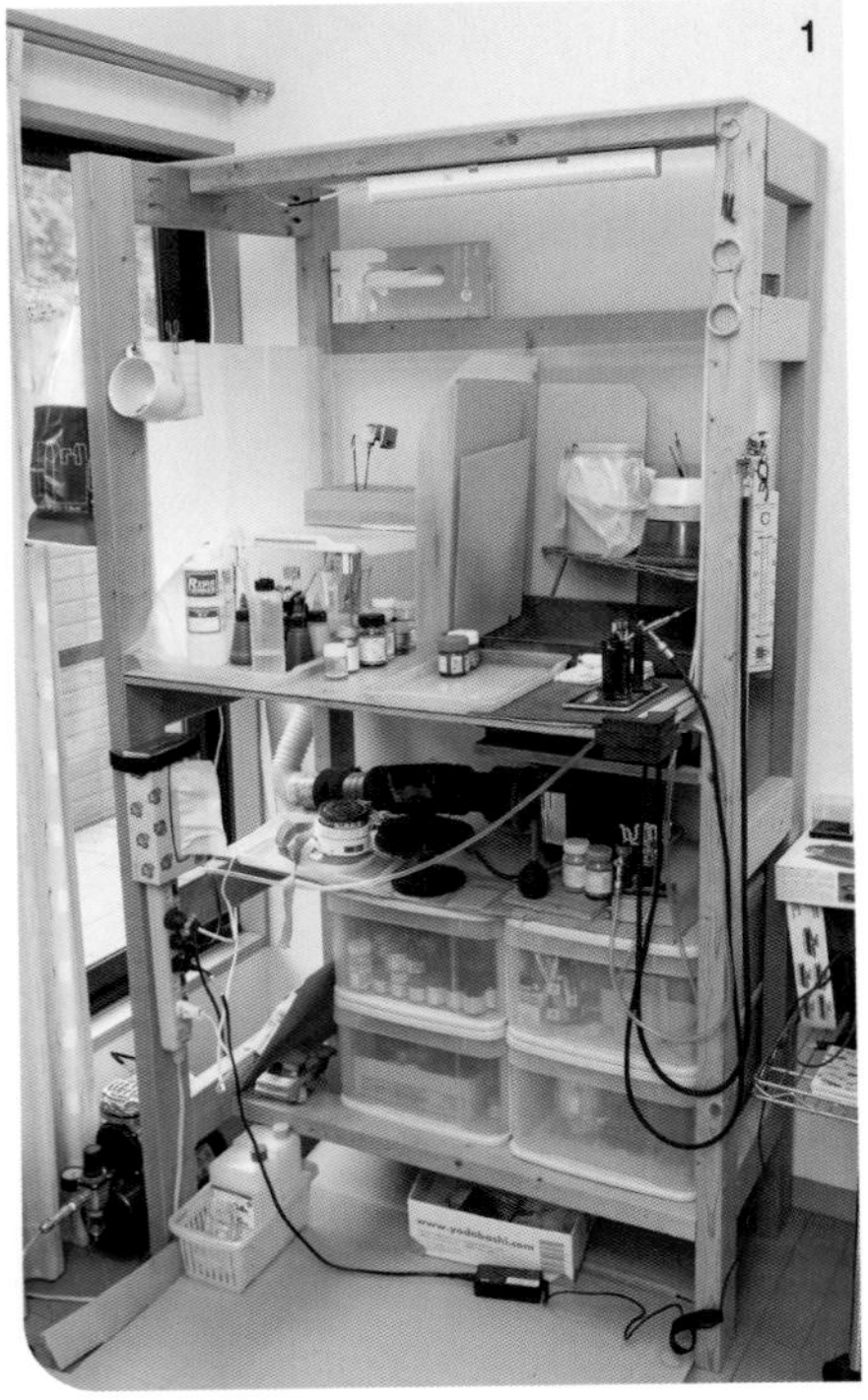

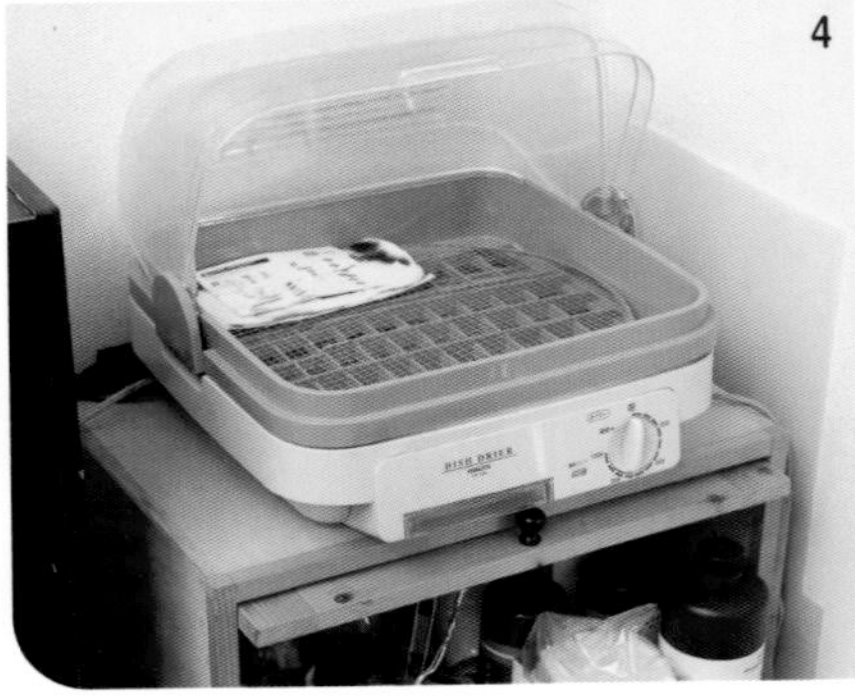

1自作の塗装ブース。実車関係の本職のノウハウから「塗装は立ったままやったほうがいい」という結論に至り、下からミストを吸い込み窓から放出している。 2メインとなる作業机、ツールは各トレーに載せて卓上において収納はしない。 3戸だな状の収納がテーブルの下から引き出すことができる。ここに塗装の持手などをしまっている。 4パーツの乾燥には食器乾燥器を使用。 5 3Dプリンターは使用するレジンが独特の臭気を発するので普段はケースに蓋をしている。稼働時には集塵機を回してダクトから排気している。

Modeler's Room 3

TadayoshiYamamura

Amazing Style

電子工作とDIYが得意という山村氏はカーモデルを中心に製作しているという。机の拡張から塗装ブースの木製ラックまで自作してしまったというから驚きだ

Yamamura's Room

Room Spec

- 場所：栃木県大田原市
- 住居形態：一戸建て
- 築年数：17年
- 建物全体の間取り：3LDK＋ガレージ
- 模型部屋の間取り：12畳
- 家族構成：夫婦＋犬一匹

私にとって模型部屋はレベル上げの練習場です。皆さん、うまく作りたいですよね？ 私もうまくなりたい！　そのためにはたくさん作って、誰よりも多くいろいろ試さないといけない。少ない限られた時間をより効率的に使うために、高い作業効率を重視してます。基本的に模型は趣味ですからあまりお金もかけられませんので、未使用だった12畳の部屋に不要になったりもらった机や棚を持ち込み改造し使用します。

メインのダイニングテーブルの上には、使用頻度の高い工具及びプラスチック材などのほとんどを配置しています。基本的に手が届く範囲に物がないとやる気をなくすタイプなので、使用頻度や工程に合わせてトレーで分け、入れ替えて使用します。一部のトレーはガイアノーツツールウォッシュ1Lの空ボトルを加工してリユース、これ接着剤やマークセッターの収納に最適サイズです。

机の向かって右下にはキャスター付き移動棚、ここには塗装の持ち手、コンパウンド、テープといった埃を嫌うもの、それとディテールアップパーツ類や電子工作用のはんだごてなどを収納、必要に応じて棚を動かして取り出します。左には細い机がありパソコンスペース及び製作過程写真撮影ブースがあり、その下には製作中のランナーを入れておく小さな移動棚を配置。コの字レイアウトで椅子を回転すれば済むようになっています。

椅子の後方に自作塗装ブースがあり、塗装は立って行ないます。立ち作業のほうがなんとなく楽なんです。ブースの下側に塗料を保管しているので、しゃがんで塗料ビンを取り、上の塗装スペースで希釈し塗装する段取り。タミヤのペインティングブースの筐体を天板に埋め込みブースの上で塗装できるようにし、モータの排気能力向上のため浴室用シロッコファンに換装、フィルター交換も未分解でできるように改造し負担も軽減されています。

カーモデルのボディのカットや曲げ加工を圧倒的に楽に、やる気にさせてくれるのが、エコーテックの超音波カッターです。切り口が解けた状態になるので繊細な作業はできませんが、ピンバイスでたくさん穴をあけてグリル開口などうんざりする手加工からはおさらばできます。

春先から3Dプリンターを導入しましたが、洗浄ツールなどかなり場所を取るし、樹脂の付着によるべた付きと臭いが大きな問題です。まだ改善の余地ありですがツール類は蓋付き棚で普段は閉めて臭い拡散防止しに対応しています。コンパクトにして余計なところを触る必要がないようにしています。

模型部屋はおそらく完成しないと思います（笑）。だってあれがほしいでしょ、あんなこともしなきゃだし、などとまだまだ進化が続きます。

よい機会なので妻に心境を聞いてみたら「プラモデル屋さんみたいにきれいに箱を並べなさい」ですって。■

山村忠義

1973年生まれ。栃木在住。東日本大震災の折、家でできる趣味として20年ぶりに模型を始めたら、雑誌作例のお話をいただくようになる。ジムカーナとDIYをこよなく愛する。

Professional Style

K.Z.G. / Dai Sasahara / WildRiver Naoto Arakawa /
Makoto Hirai / GATTO WORKS / HATA /
Noriyuki Kubo / Tadanobu Kuniya / BowieKnife

模型製作を職にしている人、模型関連の仕事についている人、
雑誌作例を担当している人の多くが、効率よく作業ができる模型製作環境を構築している。
それは長年のTipsの積み重ねによるもので実戦で養われてきたものといえる。
ここはかなりのヒントの山がつまっているにちがいない

整理整頓は仕事のために、そして家族のために

Professional Style

K.Z.G.

約6畳の増築部分は仕事部屋で模型部屋

Modeler's Room 3

K.Z.G.

Professional Style

庭をつぶして作った仕事部屋は、模型部屋でもありました。きれいに整頓された模型部屋には工夫がたくさんあります。模型教室の講師も務めるK.Z.Gさんの部屋は、アイデアがふんだんにつめこまれています。

▲可動するボードに隠れる奥は、ジャンクパーツなど使用頻度の低いものを入れている書類ケースを配置することで余剰スペースを有効活用している

▶模型製作机の右側には各種工具や塗料、マテリアル、資料本、製作途中のものなどを収納する大容量の棚が。それぞれ「切断工具」や「接着剤」などおおまかなジャンル分けをしたうえで、収納ボックスやプラスチックケースなどに収納してある。

17年前、40歳のときに腎不全になり、人工透析の生活に入りました。それを機に会社を一旦辞め、契約社員として在宅で仕事をするようになりました。そのために自宅に仕事をする空間が必要になり、庭をつぶして増築したのが現在仕事と模型製作で使っている部屋になります。

増築した部屋は広さ約6畳で、自分で簡単な図面を引き、近所の工務店さんにお願いして作ってもらったものです。工務店さんにいろいろわがままを聞いていただいたおかげで、使い勝手のよい部屋を作っていただけたと思います。なお自宅はプレハブ住宅で、増築部は木造なんですが、こういった増築の方法は火災保険の適用範囲が変わることがあり、契約内容の変更が必要になることもあるので注意が必要です。

さて、仕事部屋ともなるこの部屋ですが、仕事は広告デザインでパソコンひとつあれば事足りるので、ほとんどが模型部屋仕様です（笑）。なお妻から部屋を作る際の条件として「模型は部屋に全部収めるように」が提示されていたので、決して広くはないスペースを有効活用すべくいろいろ考え、ロフトを作ってそこにキットや完成品を収めることにしました。できたときはかなり広くて充分なスペースだと思ったのですが、すでに一箱の隙間もない状態です。完成品は飾らない主義（ダイオラマが多く、場所を取る）なので、すべて段ボール箱に入れて収納しています。箱には完成品の写真を貼って、開封しなくても中身が確認できるようにしており、展示会などに持って行くときにも準備がほとんど必要ありません。なおスペースの都合でロフトには作り付けの階

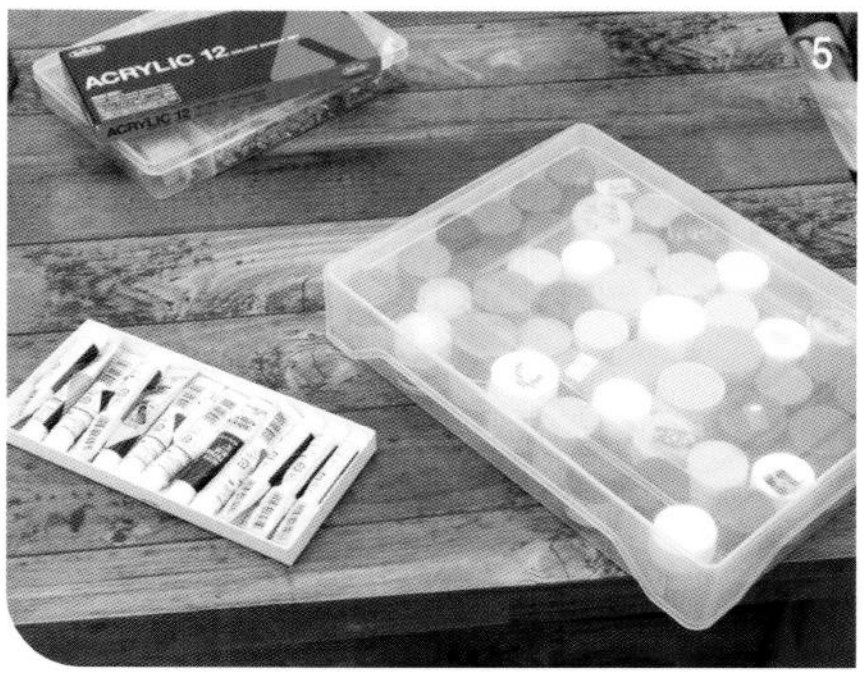

1 2 3部屋の排気設備は壁に埋め込まれた換気扇。 換気扇自体は一般的な家庭用のものだが、周囲をボードで覆い、そこにホースを2本接続。それぞれの先には塗装ブースと自作の集塵機がつながっている。塗装ブースはGSIクレオス製「Mr.スーパーブース」がベースで、自作折りたたみ式フードで省スペース化。4 5塗料はケースにいれて保存。6雑多なものはかくして保管している。

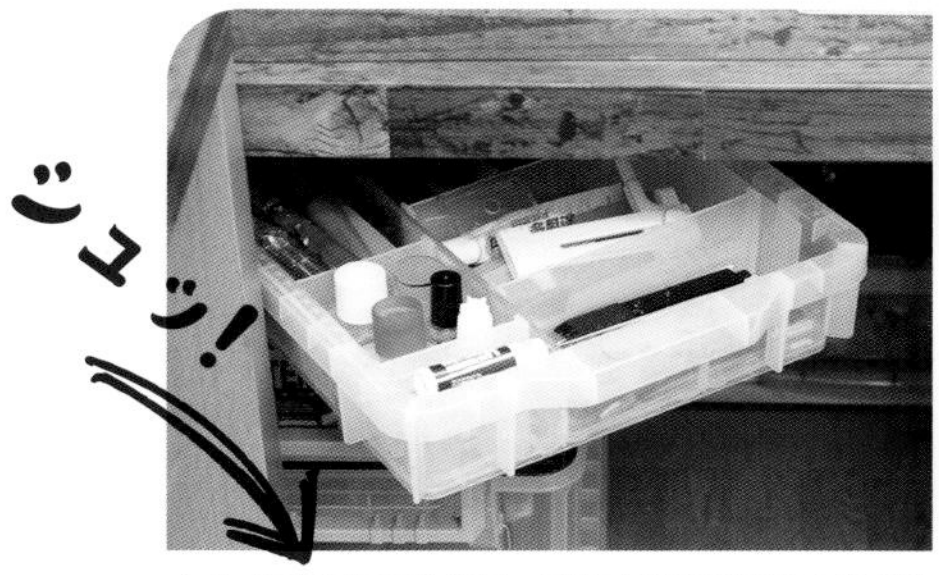

▲ナイフ類の工具はテーブル下の収納からとりだせるようになっている

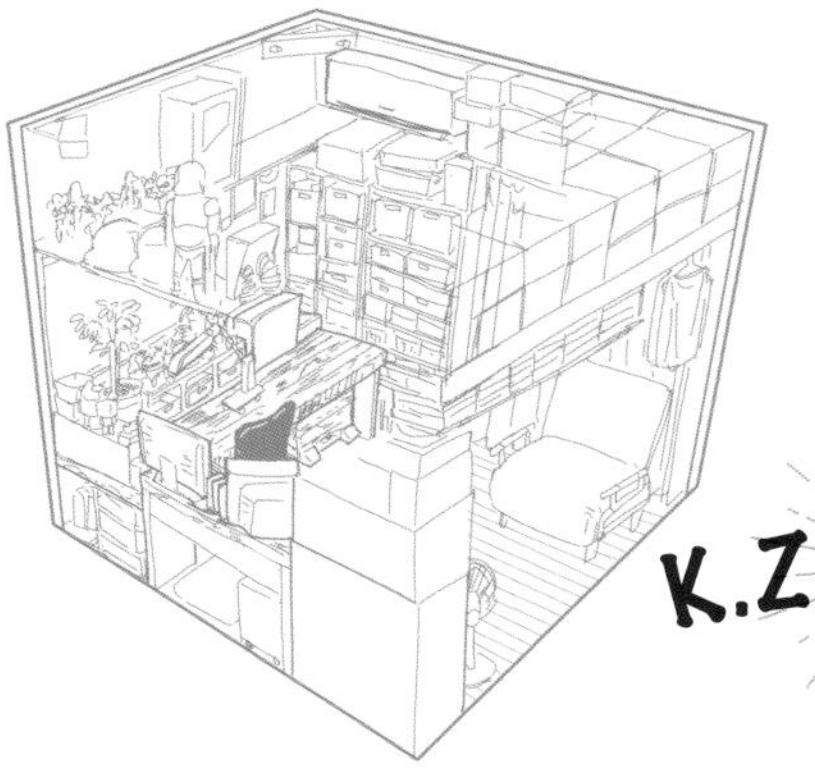

K.Z.G.'s Room

Room Spec

- 場所：山口市
- 住居形態：一戸建て住宅
- 築年数：27年
- 家全体の間取り：4LDK＋作業部屋
- 模型部屋の間取り：10㎡
- 家族構成：妻、チワワ（ほたる・メス3歳）

段が設けられず、昇降には伸縮式の梯子を使用。かなりスリリングな体勢で収納をしています。

部屋は正方形で三方が窓で囲まれているので、模型を作るのには明るすぎるくらいです。模型机は南面いっぱい自作のものを配置しました。狭い部屋には大きすぎるくらいの、約1000㎜×2300㎜という広さですが、これは浮気性で同時に2～3個の作品を作ることが多いことや、ダイオラマ製作には広いにこしたことはないと思ってのことです。東側の窓にはデザイン用のパソコンを配置し、椅子は模型机のものと共用、くるっと90度振り向くことですぐにパソコン作業と模型が切り替えられるようになっています。

仕事部屋と共用ということもあり、基本的に、模型工具、塗装、材料などは収納して、よほどの急ぎの製作がないかぎりは、工程ごとに必要なものを取り出して使い、工作が終わったらその都度片付け、模型部屋らしくないくらいの状態で保つよう心がけています。塗装ブースも折りたたみ式のカバーで目立たなくしています。机の上には、作りかけのキットやダイオラマなどを入れる収納があり、その上には(目にやさしい?)観葉植物や動物のフィギュアを置いて癒されています。■

K.Z.G.

ジャンルにとらわれず、「とにかく面白いものを作る！」をコンセプトにヴィネット、ダイオラマを中心に製作。山口カルチャースクール　ジオラマ教室講師

より良い模型工作環境を求めて、机ごと総入れ替え！

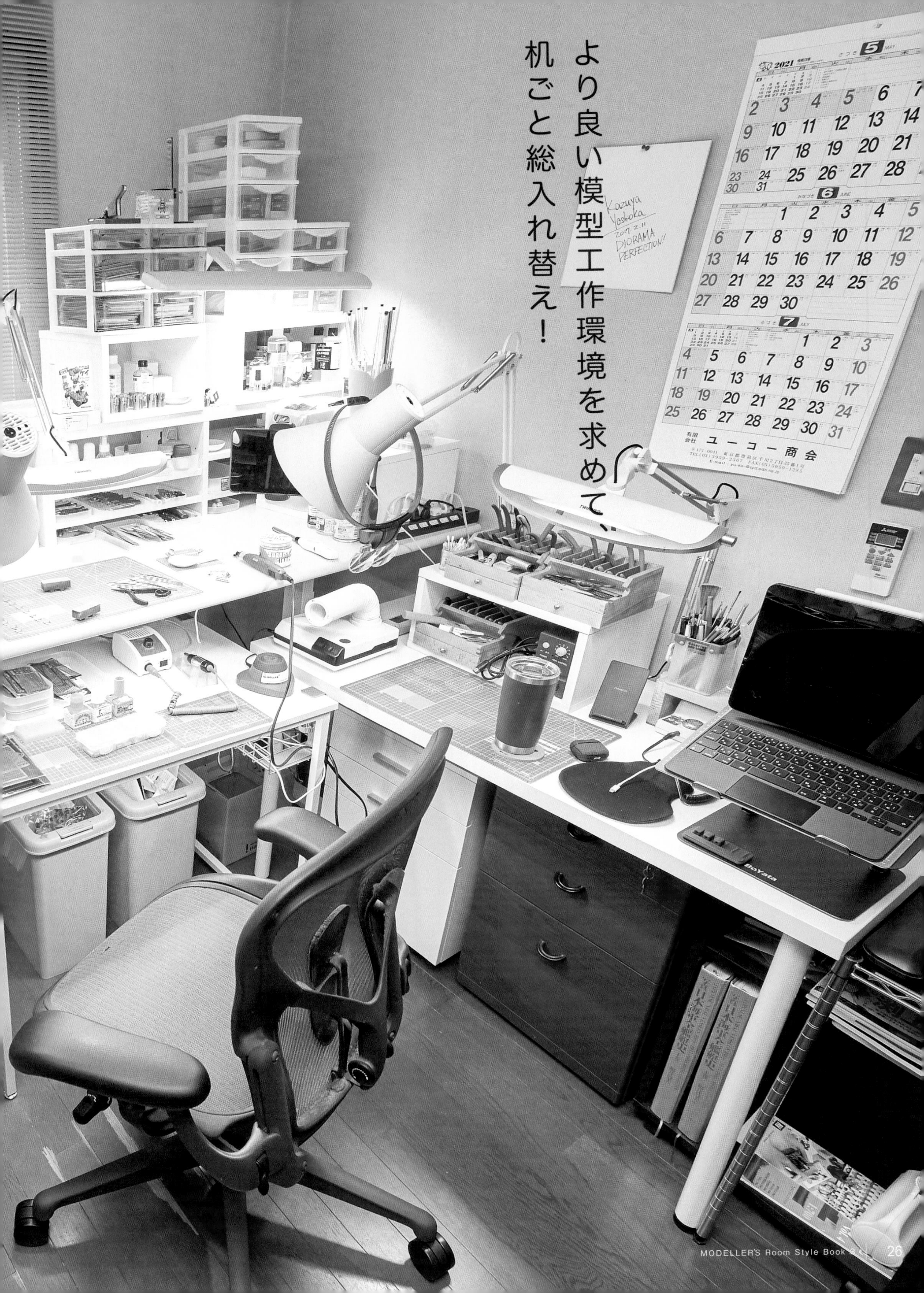

Professional Style

Modeller's Room's

Dai Sasahara

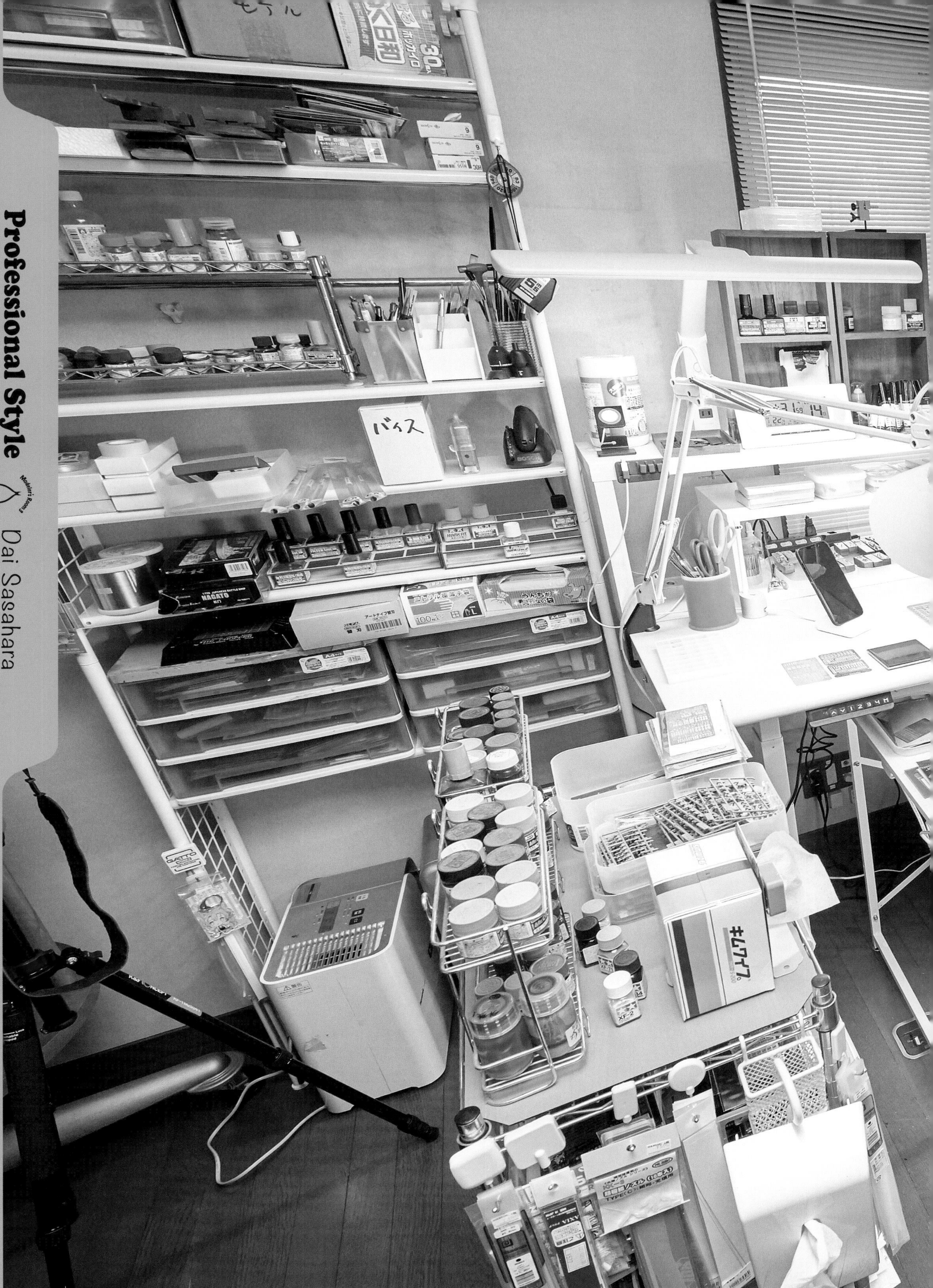

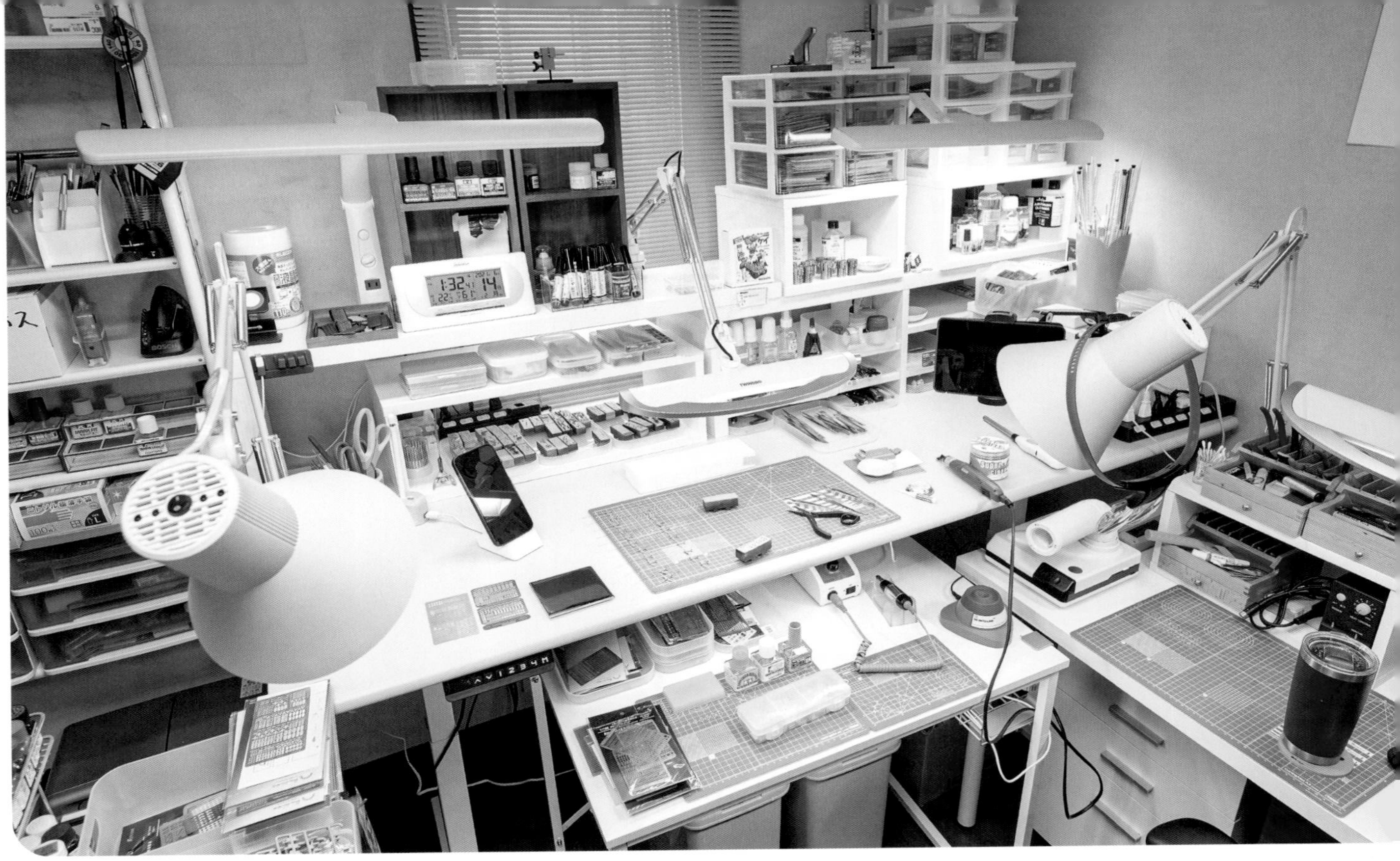

ついに見つけた理想の机 設定した高さに昇降自由！

Modeler's Room 3

Dai Sasahara

Professional Style

R工廠こと笹原大さんは、細密な艦船模型を作ることで知られているが、以前は時計職人のように作業台の上に台座を置いて作業していた。それがこの昇降機能付きの机を知るや、以前の机を捨てて新たなテーブルを導入。これで背中が痛くなることもなくなりました

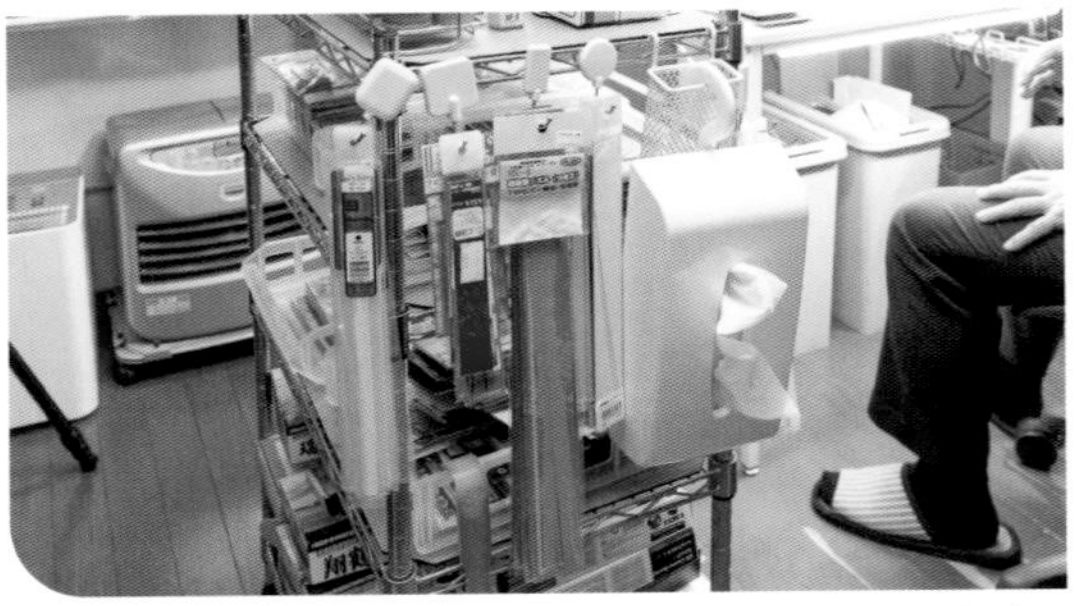

上 高さを先にプリセットしておき、スイッチひとつで天板が上下するという非常に便利な机。これで背を曲げなくとも手元が目の近くに寄せて作業ができる。
下 金属ラックには消耗剤を配備。随時とりだしては使用しやすいようにかけて使用している。

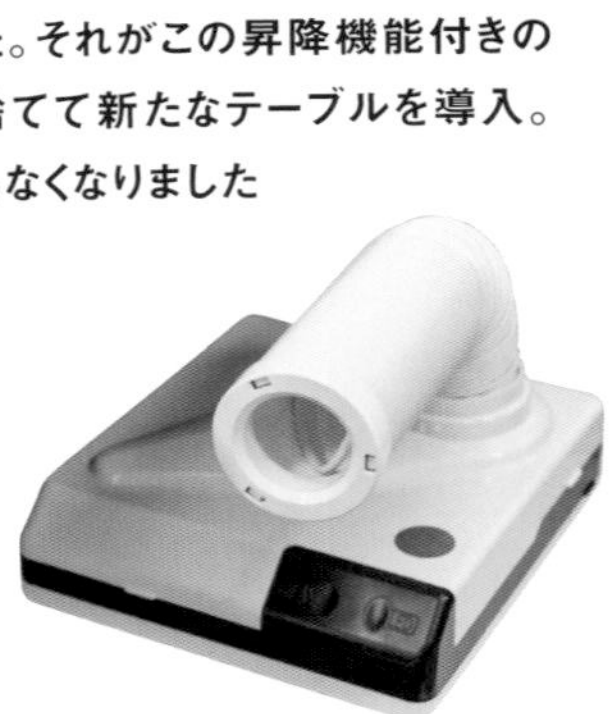

▶ネイル用のLED付き集塵機を設置し、モーターツールを使用する際に集塵する。

以前にこの本『模型部屋を作ろう！2』）に掲載いただいた部屋からリニューアルしたので、再度登場させて頂きました。以前から憧れていた電動昇降式デスクを導入することになり、この機会に模型部屋を一新しました。細かい作業を長時間行なうため、体への負担（特に腰）がなるべく少なく済むように机の高さ（85㎝～90㎝）と高めに設定できるようにして、快適に作業できるようになりました。また、一般的な高さであったほうがやりやすい作業もあるので、昇降式机の下に小さな机を配置して二段仕様の机にセッティングしています。

小さなセカンド机のメリットはほかにもあり、リューターや塗料を混ぜるブレンダー類の機械を作業スペースに邪魔することなく手元に配置できることです。このおかげで作業効率がかなり良くなりました。ただし、この場合下の段（小さい机）は影が落ちて暗くなりやすいので、LEDのテープ型照明を机裏に貼り付けて明かりを確保しています。

足元用も同様です。この模型部屋は北向きに小さな窓が1箇所しかないため非常に暗いので照明ライトは多めの6基使用しています。電動机の上に設置している棚はテレビ用の台で、寸法をあわせて購入し、設置しています。暗い部屋なので、明るくしたいこともあり机等は白で統一しました。向かっての右側の机でも作業ができるようして、作業スペースを贅沢に確保しています。左側にはエッチングパーツや塗料などを陳列できるようなパイプ棚を使用しています。手短な場所に材料やパーツを置いて作業効率を上げられるように工夫しています。

図面や資料関係を見ながら作業することが多いのですが、作業スペースを確保したい事から予め資料をスキャンしてPDFでiPadから確認できるようにしています。iPadであれば図面の拡大も簡単なので細部の確認にも大変重宝しています。また、図面や本による作業スペースの

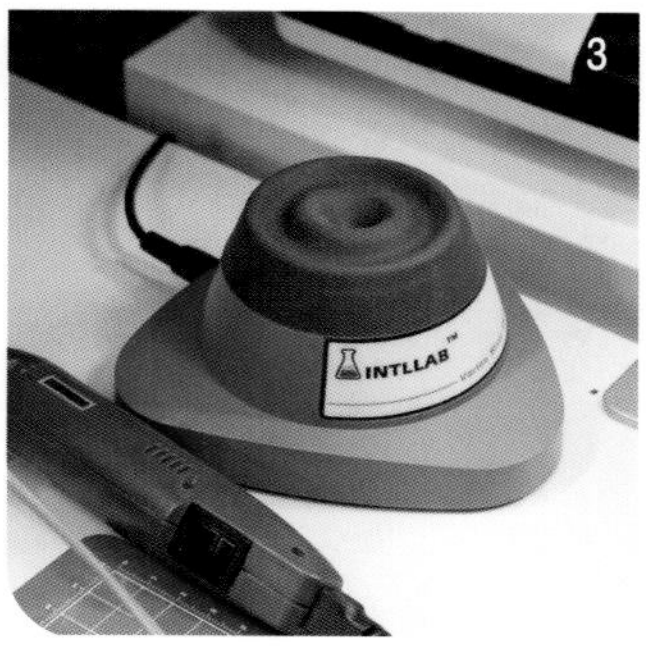

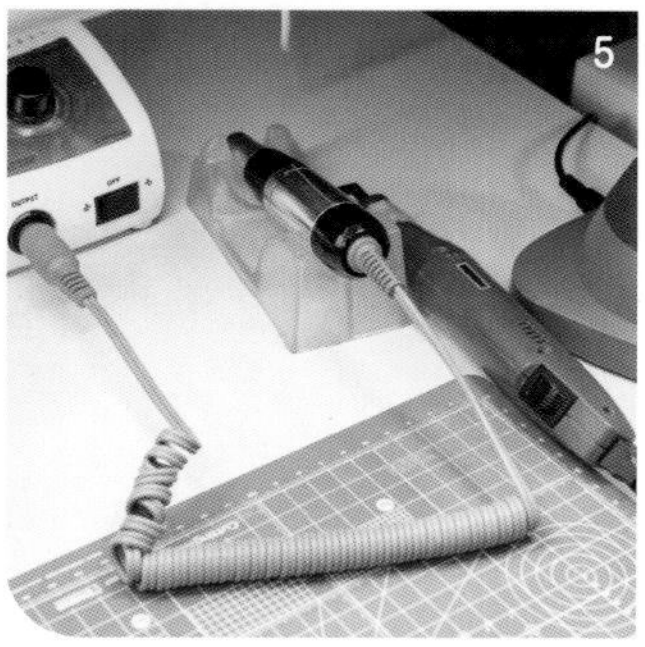

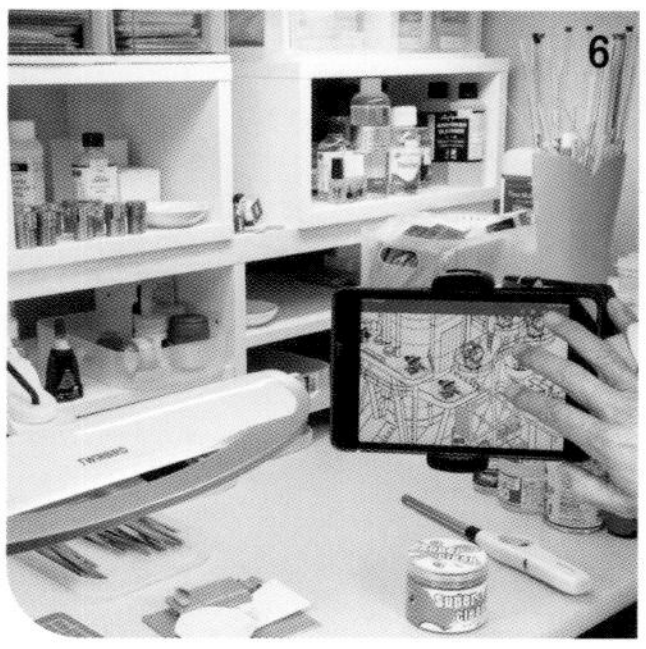

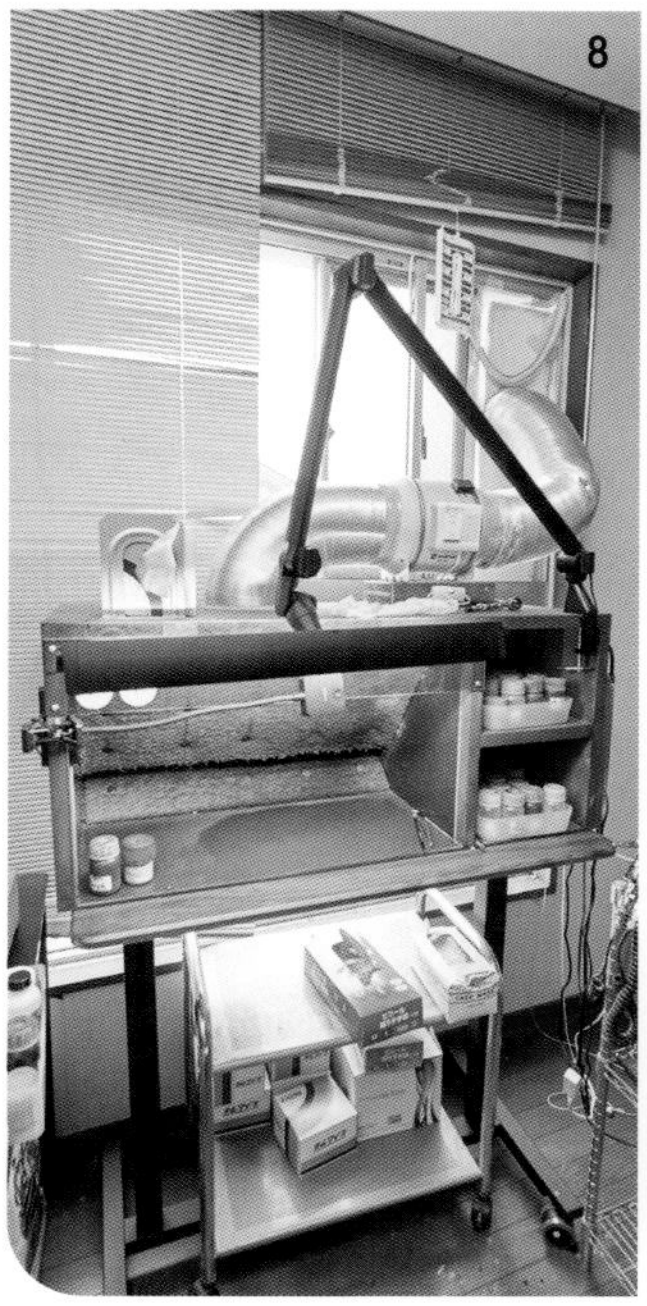

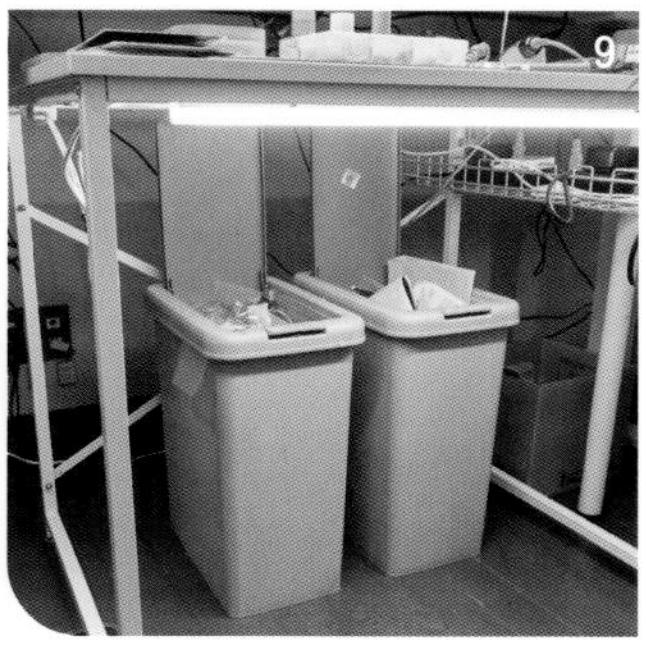

1放り投げ式のニッパーケース。 2木の木っ端にマスキングテープを貼りその上で作業を行なう。 3押し付けるとモーターで振動し試験管を攪拌する装置。塗料の攪拌につかっている。 4うすめ液や接着剤のたぐいは瓶を移し替えて使用している。 5電動ツールは複数使用している。 6資料はタブレットに収納し、適宜拡大しながら閲覧できる状態をつくっている。 7ピンバイスは各サイズの刃をつけたままトレーで保管している。これも時短の工夫だ。 8塗装は別の部屋に塗装ブースを設置して換気しながら行なっている。 9サブテーブル下にはゴミ箱とライトが。これで不用意に落としたパーツも見つけやすい。 10エッチングパーツはお店で見かけると有るだけ全部買ってくる主義。 11在庫の一部。すべて艦船もののキットで占められている。

精密な1/700艦船を作るのに特化した模型部屋

Sasahara's Room

Room Spec

- 場所：千葉県流山市
- 住居形態：貸家（一戸建て）
- 家全体の間取り：6SLDK
- 部屋の広さ：作業部屋8畳、塗装部屋6畳。
- 家族構成：嫁さん、子供二人、弟子二人（犬）

侵食もなくなり大変作業環境が改善されました。iPadによる資料チェックは作業中も見やすいようにアームで固定して目線の高さにしています。

ピンセットやスジボリ用タガネ、ピンバイス類は100均ショップで購入したトレーに入れ分けて、すぐに使えるように配置しています。 最近導入してよかった工具類は1つ目がネイルアート用の集塵機です。アマゾンで3000円程度で購入した物なのですが、私の場合は小さな面積しか削らないので、この小型の集塵機でも充分活躍してくれています。

もうひとつは塗料などを振動にて攪拌してくれるブレンダーです。これも同じくAMAZONで購入したのですが、とても重宝しています。ガチガチに固まっている塗料は流石に無理ですが、なかなか活躍してくれてます。

今後の改良点としましては、セカンド机の下にゴミ箱を配置しているのですが、イマイチ使いにくく今後の課題と言えます。

最後にこれからも作業机を効率よくかつ快適にできるように、個人的に楽しみながら進化させていきたいと思います。■

笹原 大

1969年生まれ。千葉県在住。本誌別冊「艦船模型専門誌ネイビーヤード」をメインに1/700スケールの艦船模型を製作。エッチングパーツ大好き人間。

サラリーマンは卒業？
還暦モデラーの優雅な生活

amazon.co.jp
amazon.co.jp
引越はアート
EPSON
抗菌アルミホイル
25×8
CLEAR BOOK
ZAKU
Thinking of you with

デジタル作業用の別室を準備

Modeler's Room 3

WildRiver Naoto Arakawa

Professional Style

マルチジャンルの円形劇場スタイルの作品で知られるWildRiver荒川直人氏は在宅勤務の環境そのままに、そこで3Dモデリングもおこなっている。はたしてどんな環境なのだろうか？

パソコンはiMacを使用。仕事も3Dモデリングもこれ一台で行なう。使用ソフトは、ZBrush 、Fusion360などを使用。簡単な工作もできるようなニッパーなどの工具も設置している

◆祝！ 還暦&老後モデリングのいま

めでたく還暦を向えまして、3年間の単身赴任生活から解放され、自宅のほうに戻りました。単身赴任中は、平日の夜はPCでのデジタルモデリングのほうを中心に行ない、土日の週末に自宅に戻ると、通常のダイオラマ製作という二重生活を3年間、ずっとやっていました。

単身赴任が終わり、自宅に引っ越してきたのですが、その際のデジタルPC環境をそのまま自宅の方に移動させたのですが、自立し、自宅を出た息子の部屋にその環境を新規に作るという侵食したモデリングルーム化です。

すでに『モデリングルーム スタイルブック』（大日本絵画／刊）の記事で公開しているメインのダイオラマ製作場所のリビングのオレンジコクピット（メインの机がオレンジ色からそう呼んでいる）と、エアブラシ塗装用の小部屋と、今回のPC部屋と、巣立った子供たちの部屋を順次侵食しております。

もちろん、家内からは諦めモードのクレームが多数あります。（サラリーマンも続けているので、そのリモートワークの部屋も兼ねているというのを前面に出して言い訳していますが……）

◆デジタルとアナログの場所をわける

デジタルモデリングの環境を、リビングと直結しているメインのダイオラマ製作環境の場所と同じところに作ることが難しかったのでこのように、別の部屋になりましたが、PC環境は、アンチWindows派なので、自宅にはAppleのMac達しかPCがありません。iMacをメインに、3D関係アプリケーションは、ZBrush 、Fusion360など、電飾のPICプログラム開発環境も、マイクロチップスのX-IDE環境でこのMac上で行なっています。

外部製作デバイスは、WacomのINTUOSpro、GRAPHTECのカッティングプロッターCE6000-40などがあります。

カッティングプロッターのダイオラマへの

1カッティングプロッター、GRAPHTECのCE6000-40。0.5㎜程度のプラ板ならデータ通りに切り出せることができる。 **2**ペンチやその他の工具類はここにひとまとめに。 **3**構想中のダイオラマで使うキットも置いてあり、ランナーにマスキングテープでタグ付けしている。 **4**ダイオラマの設計図面。こういった精密な図面を最初に準備するのが荒川流。 **5**カッティングプロッターで切り出したあとのプラ板。薄いプラ板はこの精度で切り出すことができる。 **6**製作中の作品用にきりだしたMDF材。軽くて強度が期待できる。 **7**タブレットはワコムのものを愛用。 **8**メインの作業部屋にはダイオラマ用の素材が整理されておかれている。

Arakawa's Room

Room Spec

- 場所：神奈川県
- 住居形態：自宅マンション
- 築年数：30年ほど
- 作業部屋：6畳
- 家族構成：本人、妻、犬

メインの模型部屋は以前のとおり

応用は前からやってきたので、けっこうノウハウが溜まって、製作の幅がかなり広がりました。いままで、この大きなプロッターは使うたびに移動させてセットということをやっていたので、常設できてかなり楽になりました。

いままで自分で設計した3Dデータは、外部にお願いして出力をやっていましたが、今後は効率化の一環として、3Dプリンタも購入して5月からこの部屋に設置して稼働予定です。ということで、デジタルとアナログをうまく製作の環境に組み合わせて場所を行き来しながら作業をやっています。

単身赴任中も自分を見守ってくれていた、海洋堂の巨大なシン・ゴジラのフィギュアも守神でこの部屋に鎮座しております。ダイオラマ製作もあと何年やっていられるかと考える歳になりましたが環境だけは段々よくなっていくような気がします。■

WildRiver荒川直人

マルチジャンルのダイオラマ作家。現在はガンダムモデリングモード中、昨年『苔と木々とジオラマと』『Wild River's StarWars World』の作品集を刊行。

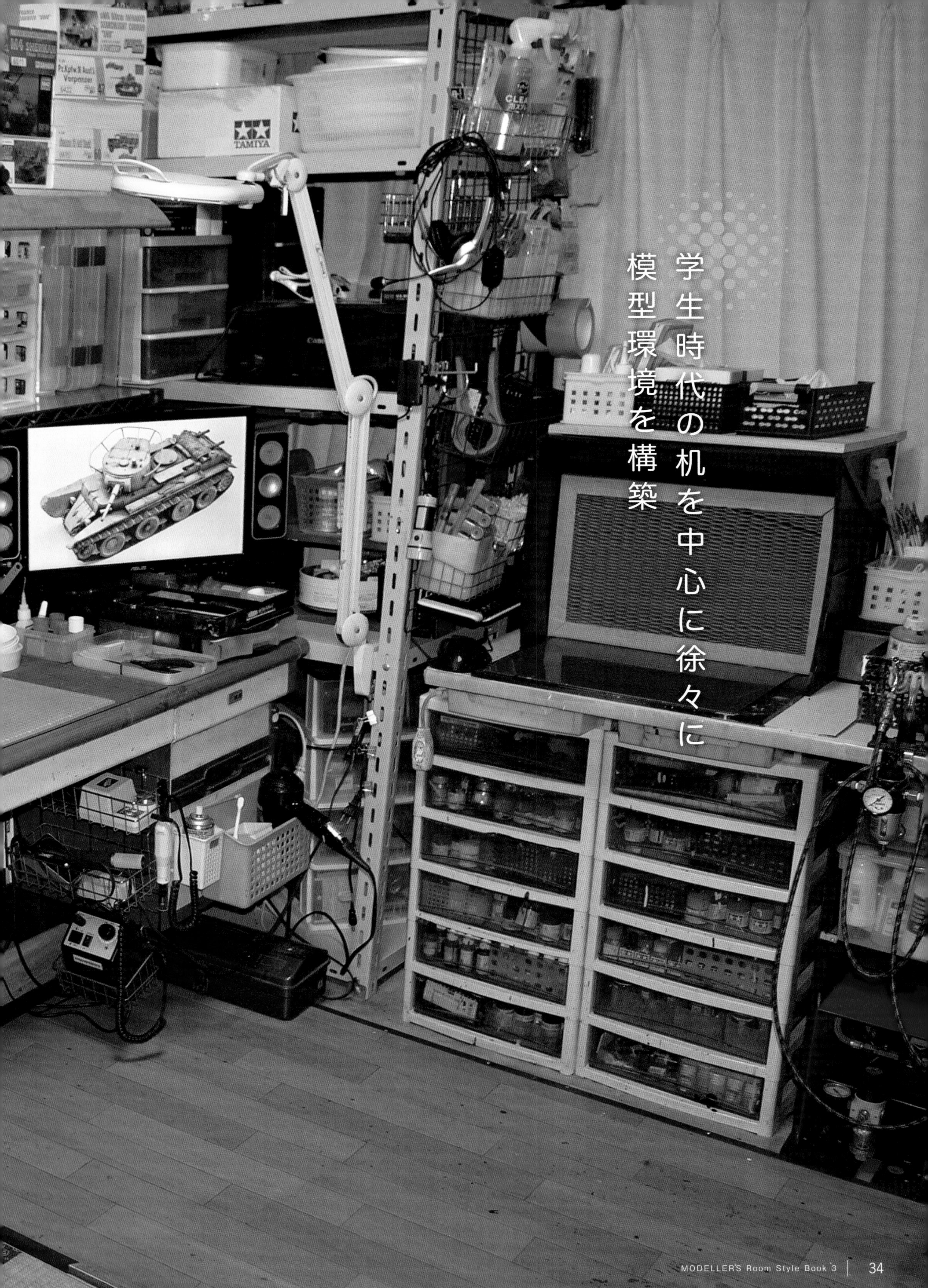

学生時代の机を中心に徐々に模型環境を構築

Professional Style

Modeller's Room Makoto Hirai

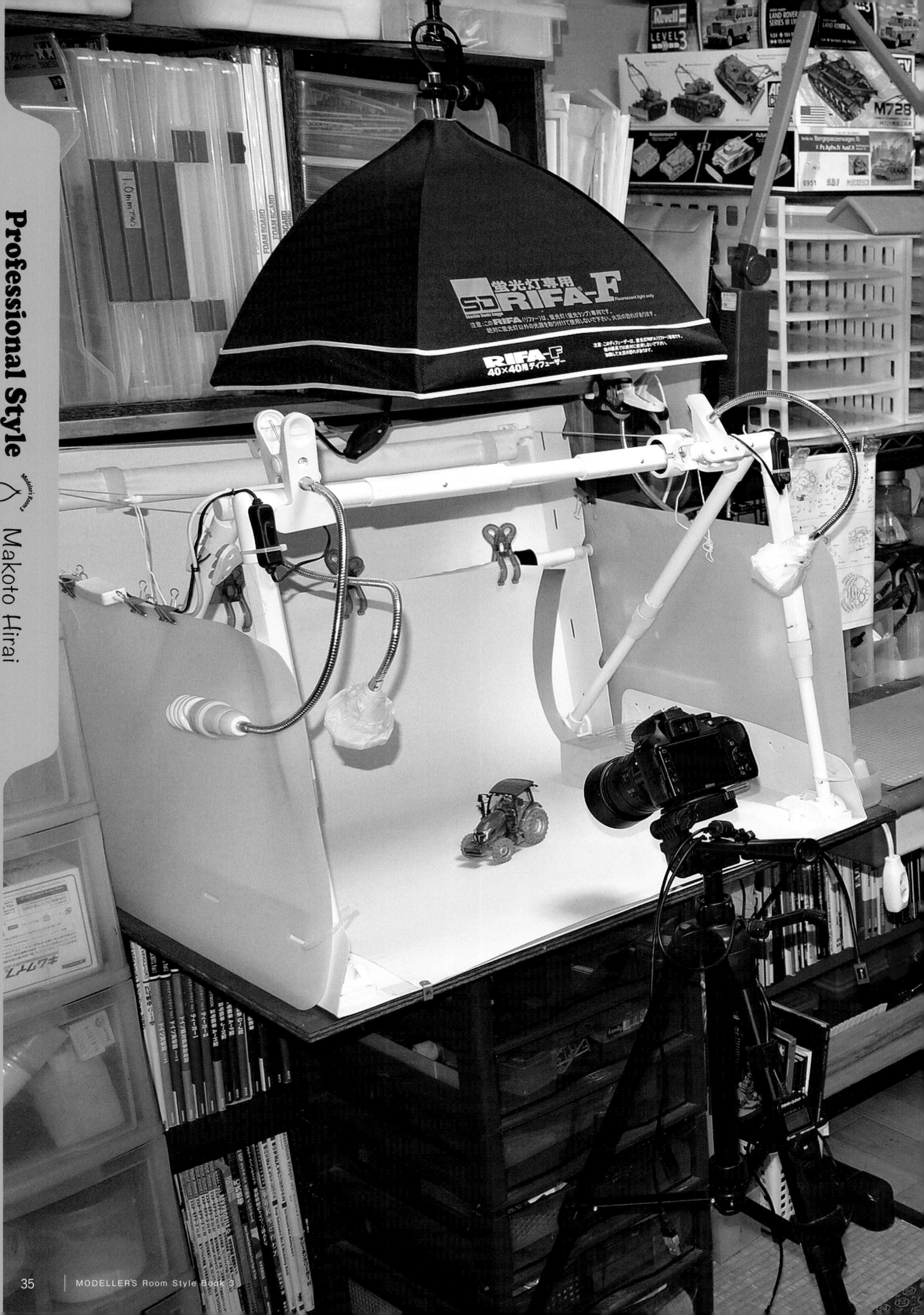

Modeler's Room 3

Makoto Hirai

Professional Style

長方形8畳の部屋を模型部屋に

外国人AFVモデラーのような仕上がりに定評のある平井真さんは昔ながらの学習机を中心に整理整頓された模型部屋を構築していました。清潔感のある作品はどのような環境で作られるのか、整理術をみてみましょう

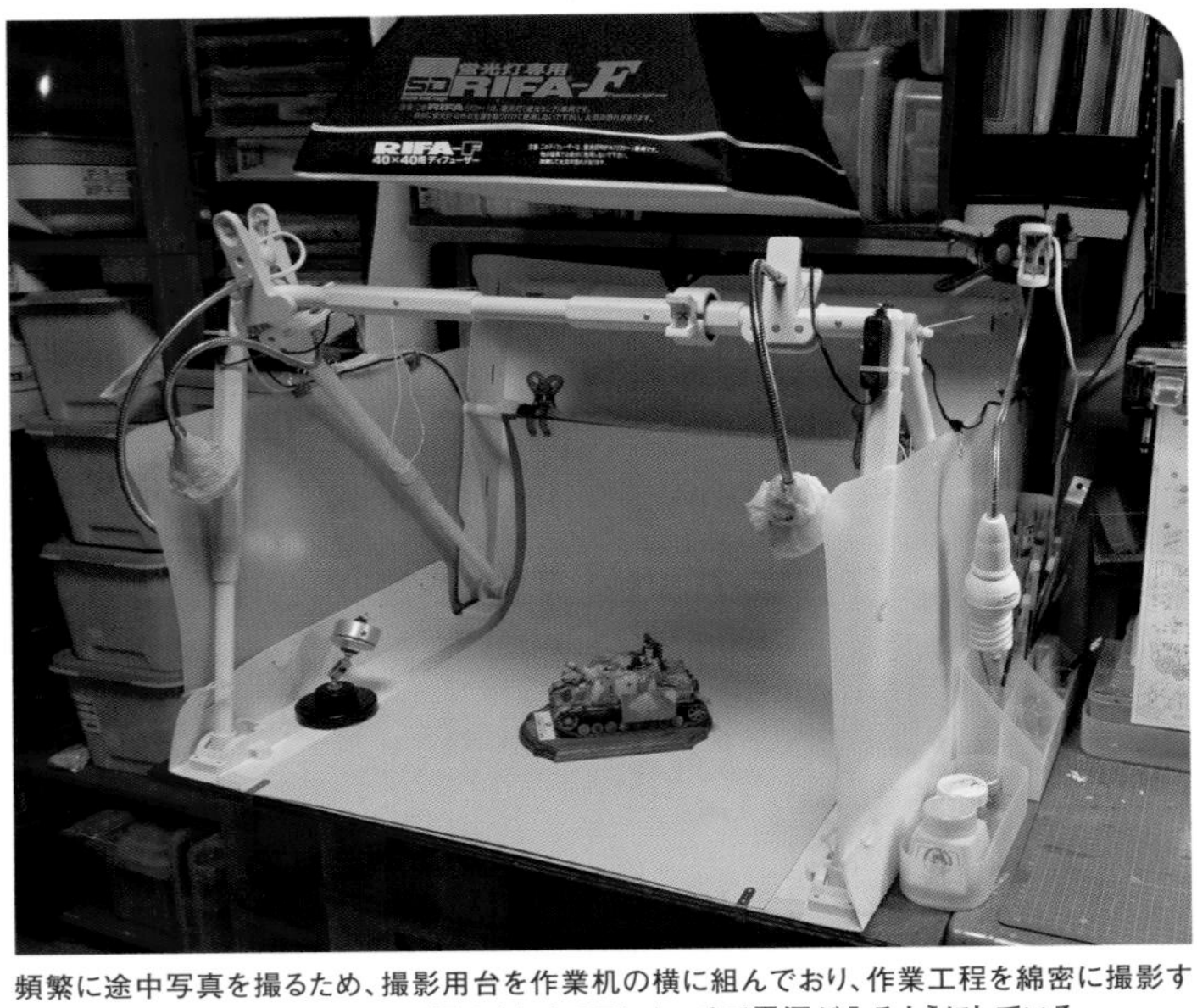

頻繁に途中写真を撮るため、撮影用台を作業机の横に組んでおり、作業工程を綿密に撮影することを可能にしている。スイッチ類はまとめてワンタッチで電源が入るようにしている

10年前に模型の趣味に出戻り、そのためのスペースが急遽必要になりました。部屋を準備するにあたってのコンセプトは低予算。幾度か模型趣味をやめたり出戻ったりを経験している身としては、製作を中断するかもという心配が少なからずありました。とりあえずは、いまある物で間に合わせて、必要に応じて徐々にステップアップしていこうと開始したのが発端です。寝室として使っていた8畳の和室に製作スペースを設けました。一見すると広そうに見えますが、長方形の間取りのため、場所を取るものは置けません。在庫のプラモデルや使用頻度の低い素材は押し入れにまとめて収納。製作スペースと生活空間を圧迫しないように配慮しています。

何はなくとも机がなくてははじまりません。学生のころに使っていた40年選手の学習机を置きました。引き出しが大きく、スチール製で無駄に重量があるので模型工作には重宝します。おそらく当時の勉強時間より、現在の模型に向き合っている時間のほうが圧倒的に長いのはいうまでもないでしょう。ツール類は100円均一ショップのトレーやタッパーで整理。使用頻度の高い工具はすぐに手の届く範囲に配置しています。

机の右斜め前方にPCモニターを設置。インターネットで集めた資料画像を画面上に映して、参考にしつつ工程を進めることが多いですね。作業中、YouTubeなどの動画を見たりもしますが、ついつい動画に集中して手が止まってしまうのが悩みのタネです。そのほかにも知人とインターネットの音声通話サービスを使って話しながら作業することもあります。モデラー仲間とのワイワイ雑談しながらの製作はストレス発散になり、とても楽しいですね。

製作机の右隣が塗装スペースになっていて排気用の塗装ブースを設置。椅子を90度右に向ければすぐに塗装ができるようにしています。

作業机の左隣には撮影用の場所を設けています。How to記事の進捗画像は必

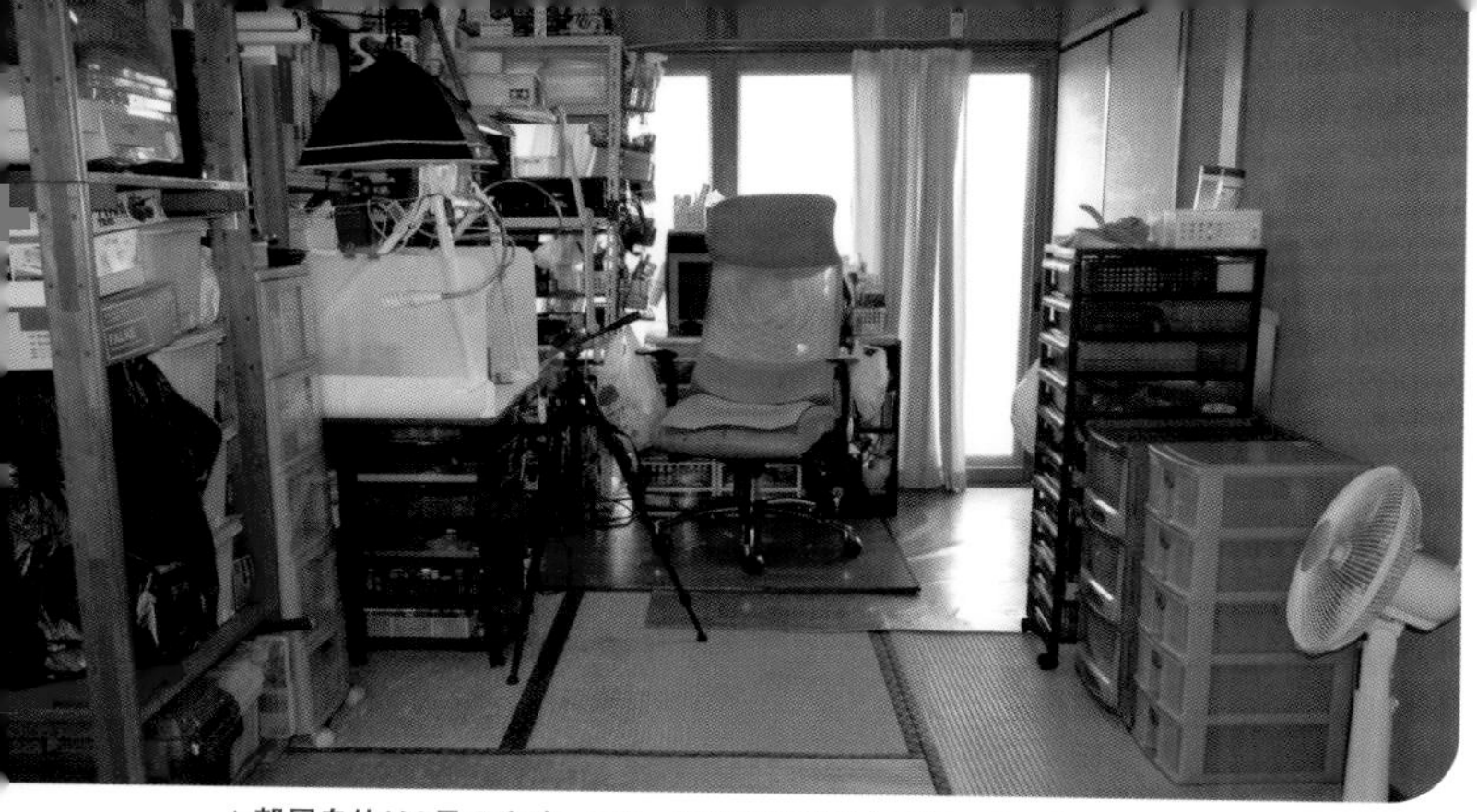

▲部屋自体は8畳の和室。この一角を床を養生して使っている。

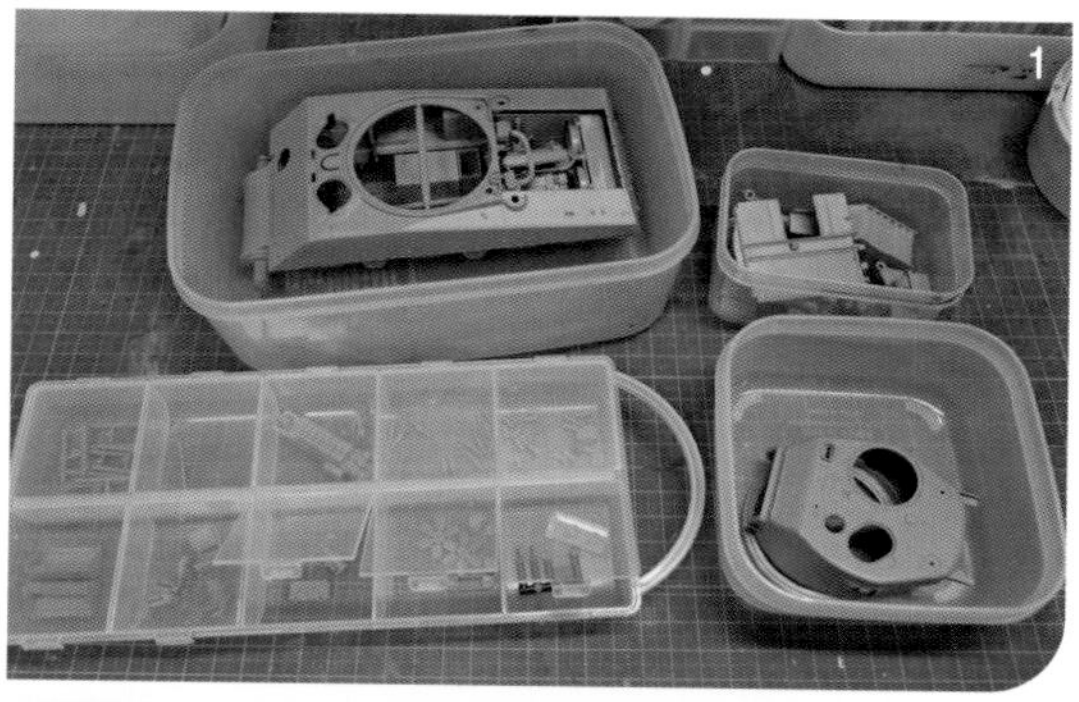

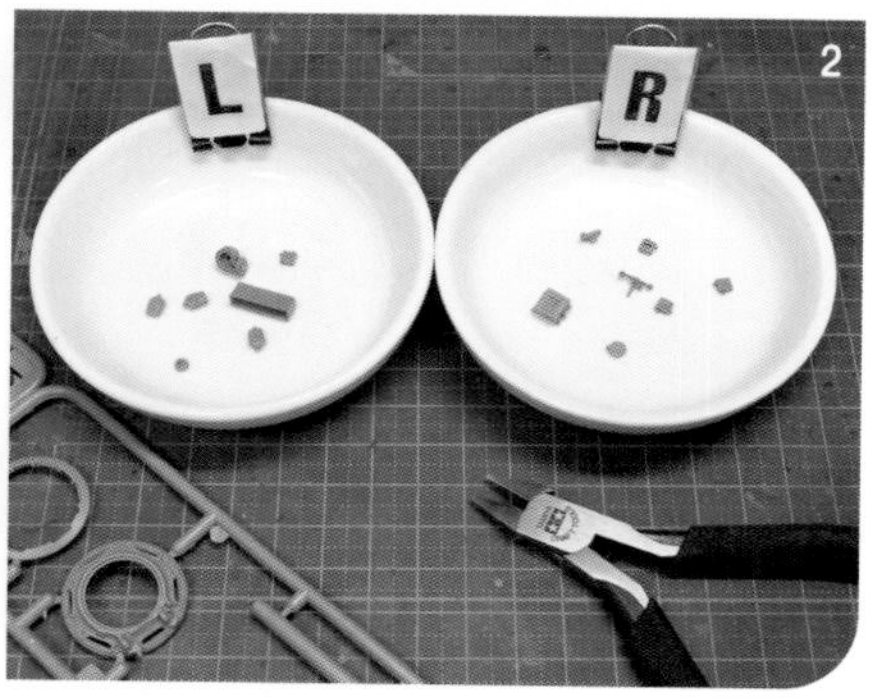

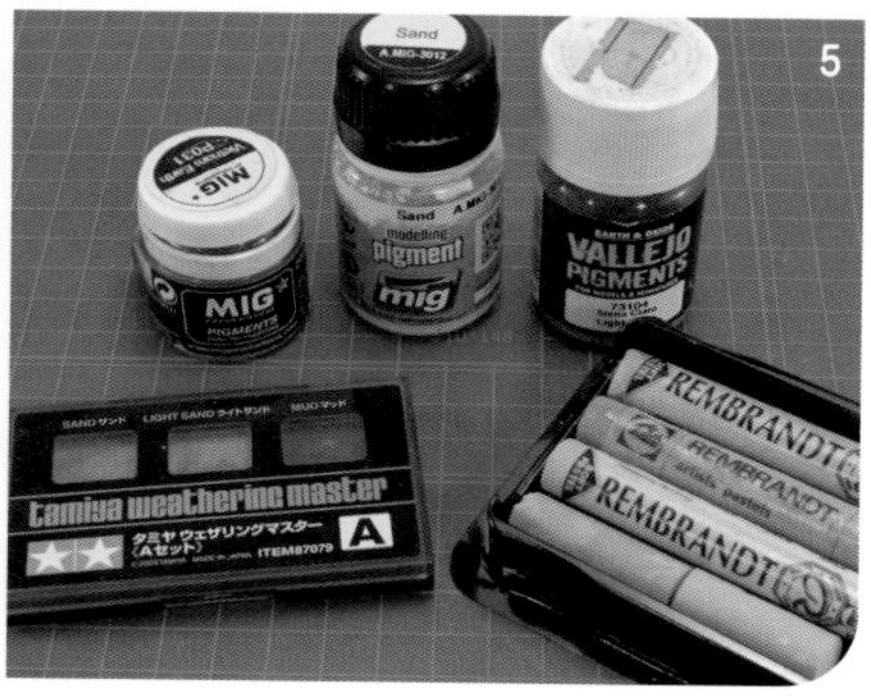

1製作中のモデルはパーツ単位でタッパー類に分類して保管している。2左右で異なる小パーツは皿に切り分けて保管する。3書類入れを机の正面上に設置し、キットのランナーを出し入れすることで省スペース化を図っている。4ウェザリングに使用するアモやAKの塗料と水ペン。5パステルやピグメントの類い。タミヤのウェザリングマスターも愛用している。6こちらも外国製のウェザリング塗料。プラケースにいれて保管している。7基本塗装に使うラッカー系やエナメル系、ファレフォなどは引きだしに入れて整理し保管している。

Hirai's Room

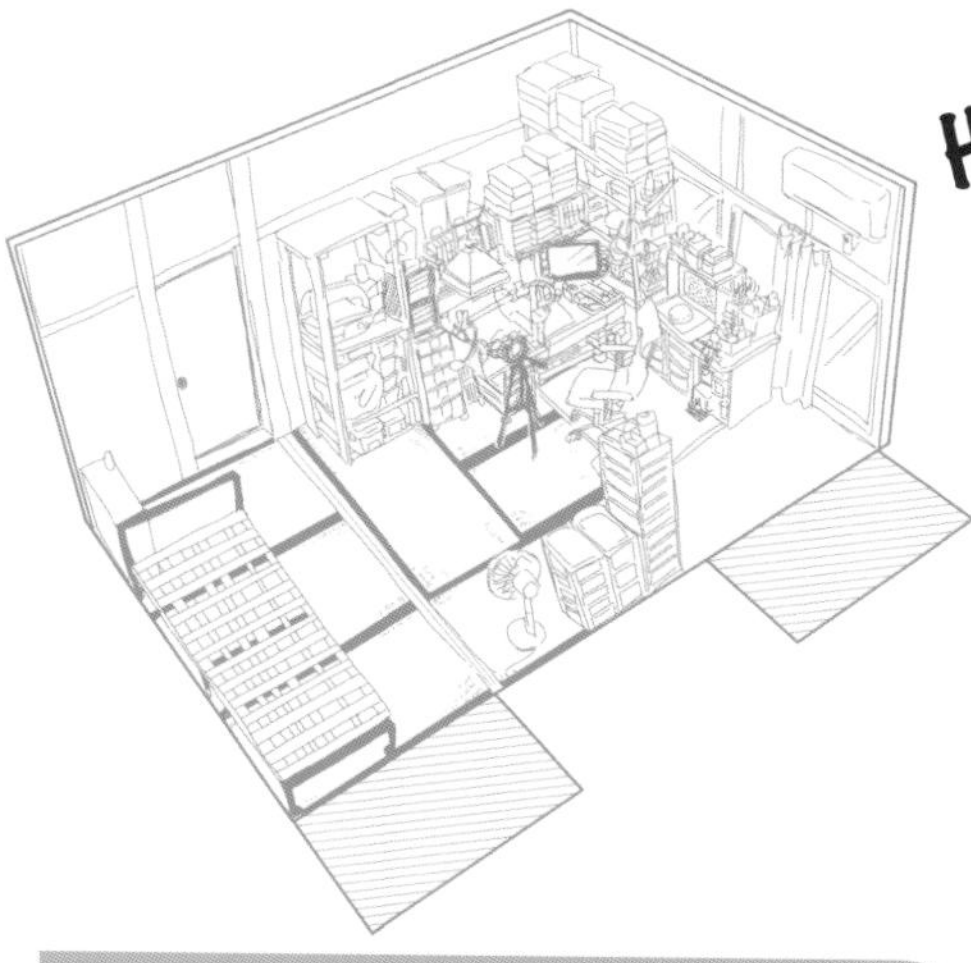

Room Spec

- 場所：愛知県西尾市
- 住居形態：一軒家
- 築年数：30年

モチベーションを維持する整理術

須ですが、製作しながらの撮影はなかなか大変です。撮影ブースを作業スペースのすぐ隣に設置することで、手を止めることなく撮影ができるように配慮しています。メインの照明は写真電気工業株式会社のRIFA-Fの40×40㎝。これにLED電球を装着して上からの照明にしています。さらに左右から照明を1灯づつをディフューザー越しに当てます。こうすることで光が和らぎ、ソフトな印象の写真が撮れます。ほかにはインターバルタイマー付きのリモコンも欠かせません。両手を使って模型を塗装する様子をアングルを変えながら何枚も撮ります。タイマーリモコンで撮影回数をプログラムしておくと大変便利！

使い心地におおむね満足している自室の現状ですが、和室であるがゆえ、イスのキャスターでどうしても畳が傷みます。近い将来、リフォームして洋室に変更しようかと思案中……。今後の課題ですね。■

イラスト／モリナガ・ヨウ

平井真

1972年生まれ。愛知県在住。本誌で観たミグ・ヒメネス氏の作品に衝撃を受け、本格的に模型製作を開始。2015年、キャコンにてグランドマスターを受賞。現在も『月刊アーマーモデリング』で定期的に作例を発表している日本を代表するモデラーのひとり

社長と社員の模型机で、職場である事務所がいっぱいに

本書でもユーザーの多い塗装ブース「ネロブース」を販売している
ガットワークス では、職場での模型製作を推奨(?)している。
ここでは総勢2人のその、職場にそれぞれが作ったという
模型製作環境の違いを対比してみてみよう

GATTO WORKS
PAINTING BOOTH & TOOL FOR CRAFTMAN

ガットワークスの本拠地

Professional Style GATTO WORKS

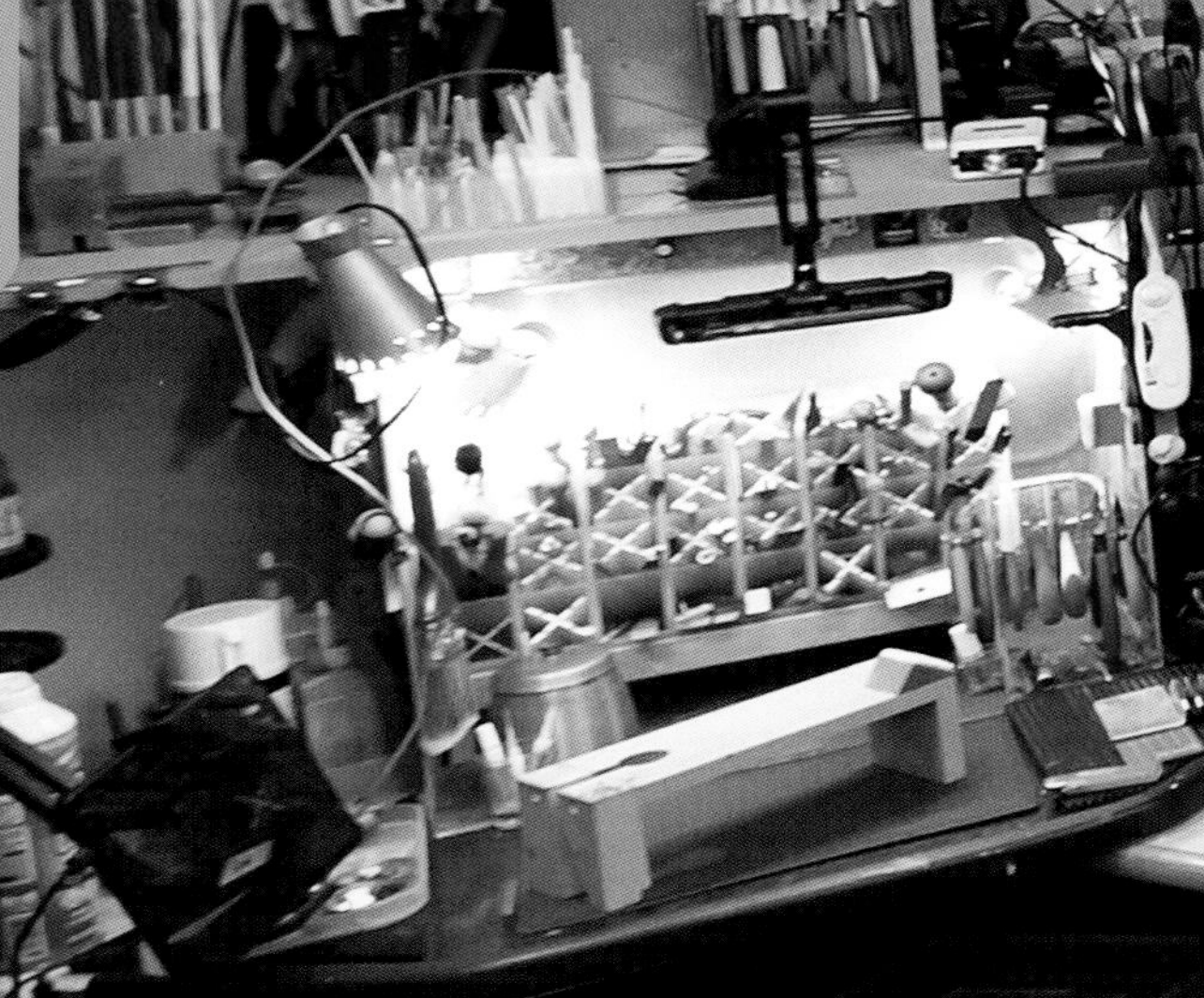

SIDE Chiita Wakarasi

SIDE GATTONERO

テーマは「圧縮」な模型机

▲PC机は基本的に作業には使用しないので若干空間が取れている。それでも上に伸びるしかないので、モニターは二段の縦組みで3枚使用している

Modeler's Room 3

Gattonero

Professional Style

ガットワークス 代表のがっとねろさんは、以前はこのオフィスでひとりで模型部屋を展開していたが、社員が増えたため、今度は「圧縮」を考えてレイアウトをしているという。

今回は社員が増え事務所全体を一人で使うことができなくなったので「圧縮」をテーマにお届けします！　まずメインとなる作業机ですが工具立てや消耗品の配置を細かく変更した程度です。使用中の紙ヤスリ類を雑に突っ込んでおけるトレーを使い始めたら思いのほか便利で散乱しがちな工具を入れる薄いトレーと二段重ねにして活用しています。他は前回の配置が手癖に合っていたので大きな変更は机左側のメタルラックを撤去しデッドスペースになっていたネロブース左側にメタルラックを配置し塗装用品をまとめたくらいです。ここに収納している塗料は全て濃い目の希釈済み状態にして仕様時にエアブラシのカップ内で都度その時々の塗装に適した状態へ追加希釈して使用しています。コンプレッサーも以前とほぼ位置は変わっていませんがメンテナンス性を確保するためメタルラック最下段のアクセスしやすいに配置しました。スペースがそこそこあるので「たまに使うけど置き場に困るモノ」やリューターの本体や溶剤、薬品類やよく使う塗料を乱雑に突っ込んでいます。以前は天井から吊り下げていた電動工具のハンドピース類はメタルラックの余りパーツを利用し若干吊り下げ位置を調整できるようにしました。作業によって吊り下げ位置を調整できるのでコードの取回しが良くなりました。デッドスペースになりがちな机の下にはメッシュパネルを取付けM・S・Gや工具、マテリアルの予備を吊り下げて管理しています。アクセスはよくありませんが使用頻度は多くないのでもう少しメッシュパネルを拡張することも検討しています。ガイアノーツの塗料什器は置き場所に苦戦しましたがキャスター付きの台座に設置することで奥にあるヘキサギアの在庫にもアクセスで

SIDE GATTONERO

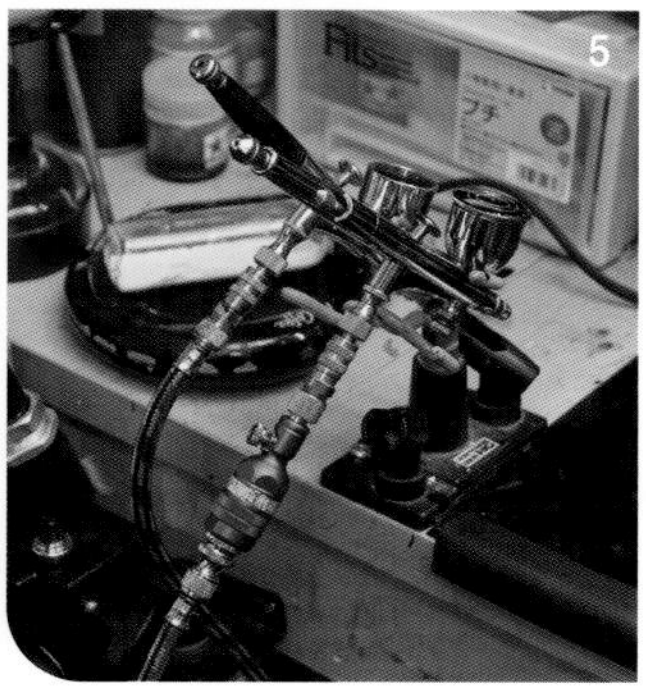

1オレンジ色の小物入れは引き出しになっており、小さいパーツ類が保管されている。**2**タガネは各種揃えているが、扱いは丁寧に下にスポンジを敷いてある。**3**各部材はs字フックでラックにかけて保存している。**4**ここに収納している塗料は全て濃い目の希釈済み状態にして仕様時にエアブラシのカップ内で都度追加希釈して使用する。**5**使用エアブラシは、アネスト岩田HP-CH CM-CP2 エアテックス コラーニインフィニティエボリューションtwinaction クレオス プロコンBOY WAプラチナ0.3 Ver.2nado。**6**在庫キットはここに保管している。**7** 3Dプリンタは「Photon S」を使用

圧縮した分、スペースは縦に伸ばす！！

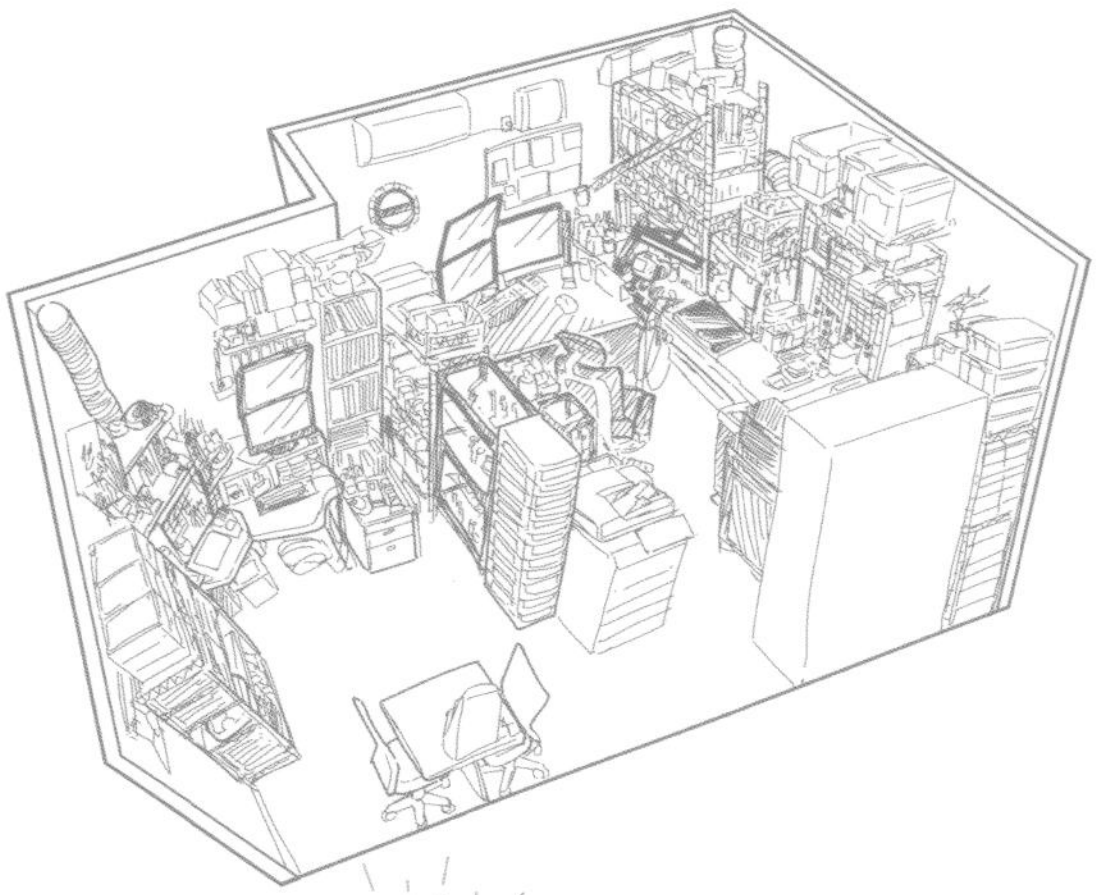

Gattoworks's Room

Room Spec

- 場所：東京都
- 住居形態：賃貸倉庫
- 作業部屋：10畳の事務所の一角

▲コンプレッサーは静穏性の高いオイル式のホルベイン ワーサー30Dを使用。オイル式だけあって非常に静かだ

きる位置にすることができました。このメタルラックの側面にもメッシュパネルを設置して工具の予備や消耗品を吊り下げて管理しています。全体の一番大きな変更点はL字型の事務机を作業机に隣接させたことです。これによりコの字型の配置となりました。事務机なので基本は仕事しやすいように書類や図面を広げられるスペースを確保しつつパソコンや電話機、事務用品を配置していますが作業中は広いスペースを活用して塗装ベースを置いたりパチ組み時にランナーを広げたりと便利に使っています。メインの作業机に置き切れなかったガイアノーツ以外の塗料やウェザリングマテリアル、リュータービットなども事務机下のラックに収納してあります。L字の末端部分には作例での使用頻度も高い３Dプリンター「Photon S」を置いています。圧縮することでスペースは狭くなりましたが囲まれている感じが落ち着くので結構気に入っています。いずれ作業スペースを広げる為に大きな事務所に移転したいと思っています。■

がっとねろ

88年生まれ 東京都在住
㈱ガットワークスの中の人。塗装ブースを設計したり会社を作ったり思いつきでなんでもやる。

「無駄な時間をやっつける」ちいた式工作法

▲ネロブースを中心にテーブルや棚をDIYで作り、組み合わせることで自分にフィットした作業環境を作り出すことに成功している

Modeler's Room 3

Chiita Wakarasi

Professional Style

一方こちらは、ガットワークス社員でモデラーのちいたわからしさんの作業ブース。こちらも狭いなりにまた上に伸ばす作戦で作業スペースを確保しています。

「やりはじめればヤル気が出る」なんていいますが、偉い心理学者さんがいうには「作業興奮」という名の心理状態だそうです。作業興奮を維持していれば効率的に模型製作ができるということになりますが、それが冷めるキッカケとして「○○どこだ?」と探し始める行為が「いちばんの敵」だと思っています。パーツを床に落とした、あのパーツどこに片付けたっけ？　あの工具が見当たらない……etc.

数秒で見つかればいいですが、下手すると数十分～数時間探して、見つけるころには作業興奮は解けてしまいます。せっかくノッてきた作業を止めて、ダラダラ寝転がりながらスマホゲームをやりながら眠りについてしまう……怖い。

前置きが長くなりましたが、私の模型環境はそんな「いちばんの敵」を倒すことを念頭に構築しています。

模型関連の職場勤務ということもあり、作業環境は職場に構築させてもらっています。事務所に2畳ほどのエリアを与えられたので、お仕事用のPCを優先配置しつつネロブースを設置、中には百円均一ショップで購入したペンスタンドに「模型で使う主な工具」をひととおり配置しました。

・パーツの整面などの基本工作
・延長、ディティールアップなどのパーツ加工
・パテやプラ板によるスクラッチビルドなど作業工程

などなど作業内容によって使用頻度の高い工具は変わるので

①手の届く範囲に工具全般を配置する
②作業毎に頻度が上がる工具は手元に置けるようにする

この2点に注意して出しやすく片づけやすい配置で「道具を探す時間」を倒します。プラモデル製作以外にもDIYも行なうのですが、限られた範囲で効果的な製作環境を整えるには自作が一番効果的だと考えています。オーダーメイドで机や棚を作ってもらえればそれに越したことは無いのですが、お金がかかるのでね……

基本的にネロブース前で作業をするの

SIDE Chiita Wakarasi

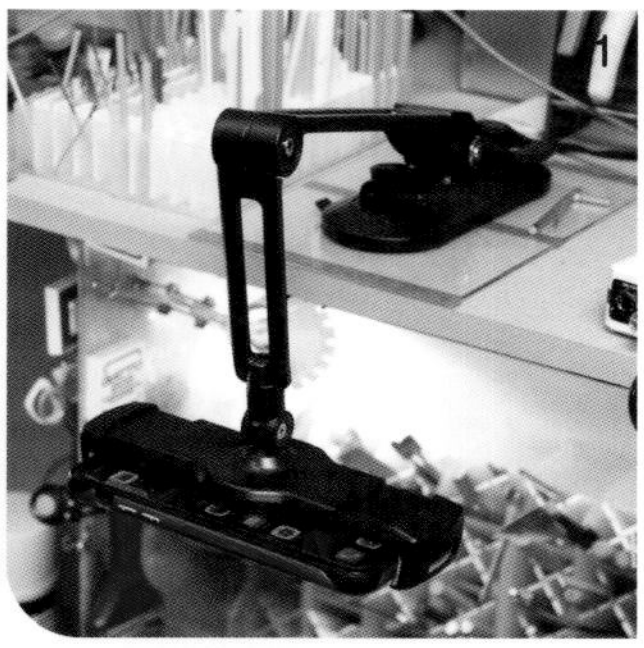
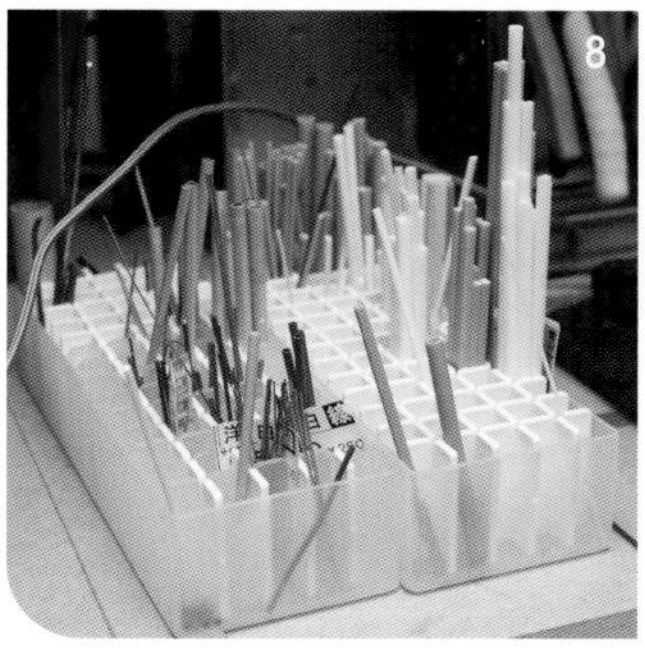

1動画などを携帯で真上から撮影することができるユニット。 2各サイズのポンチは専用のケースを準備しててての届く場所に収納している。 3右手で使うヤスリは右側にあったほうが便利、ということでモニター下の空間には各種スポンジヤスリをため込んである。 4塗装用の持ち手は鉛筆縦にひとまとめ。 5手元には使用頻度の高いナイフやカッター類、目立てヤスリなどが揃えられている。ファンテック ツールキーパー 置き台に置かれている。 6社長との仕切りにはショーケースが鎮座し完成品などが飾られている。 7作業用の台座。背中をまげずにこの上でこまかい作業ができるので非常に重宝している。 8プラパイプやプラ棒などの端材はこのケースに立てて管理している。

タワー型にすべての工具を工夫して全配置

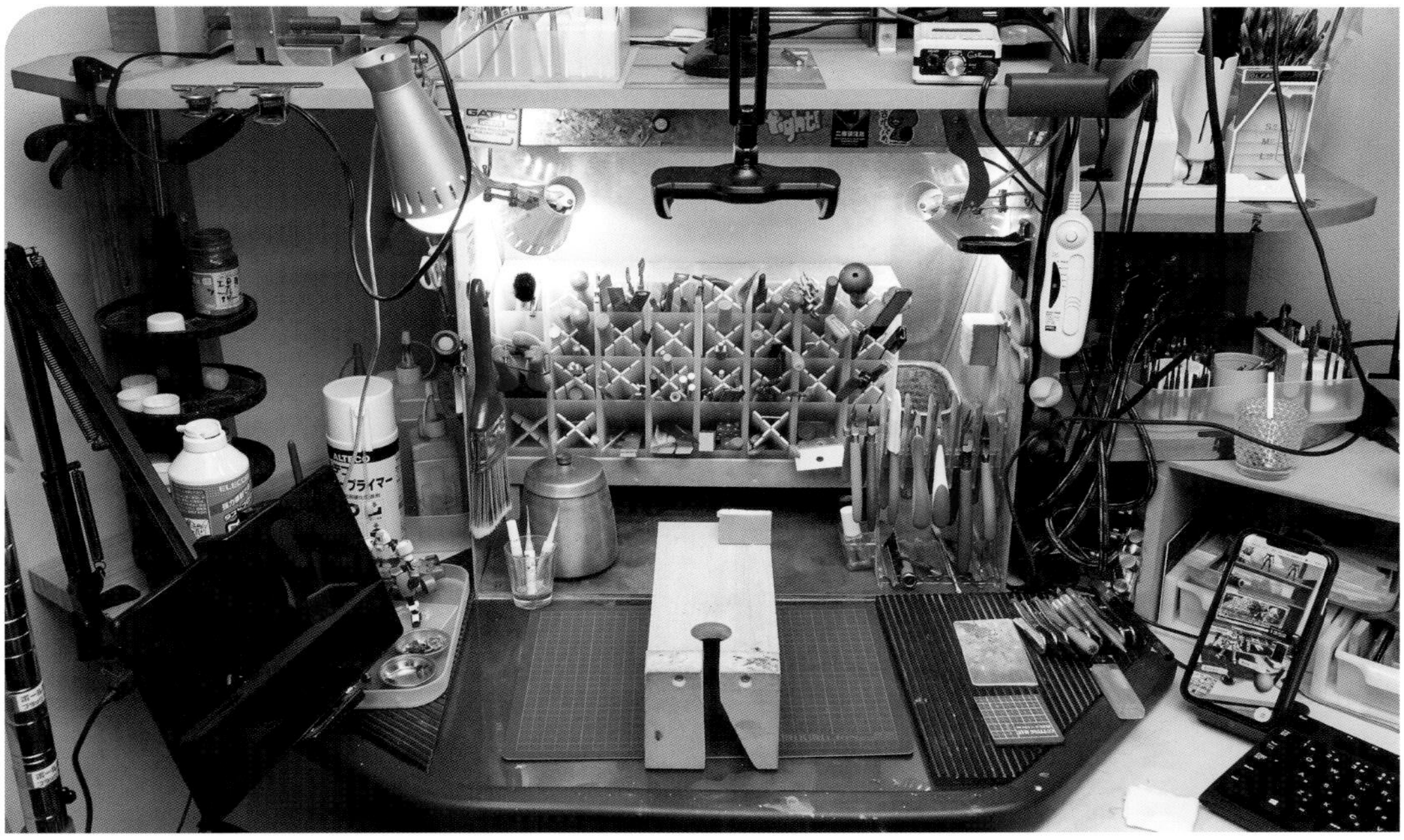

▲白い事務机に追加された自作のグレー部分の板にネロブースが鎮座しており、その上にMDFを自作工作によって棚が増設されていっている。ブース内は基本工具がセットしてあり、塗装の際にどかすそう

でネロブースが金属製で強度があることを活かし、木材を切り出してブースを起点にやぐらを組み、「高さ」も有効利用します。ブースの下にも板を敷き、机自体の奥への延長に加え、工作作業する場所とPC操作をする場所の高さを変えることで背筋を伸ばした体に負担の少ない姿勢で作業できるようにしています。板のフチには衝撃吸収クッションを貼り、手を置いても痛くならず、堤防となりパーツやゴミを落としにくくし「落としたパーツを探す」という時間ができないように注意しています。

この環境を構築してから半年、概ね満足しているのですが、動かずに延々と机にいてしまうので気が付くと全身の血流が悪くなります……。30代も後半戦に入り、模型作りにいちばん必要なモノは道具や作業環境ではなく、ストレッチなのではないかと思いはじめています。■

ちいたわからし

1984年生まれ。20代から作例製作を行ない何気に10年選手で雑誌作例以外にもWebサイト作例や書籍を出してる。最近は動画制作も始め製作動画の配信なども行なっている

EPSON
KURATAS
KURATAS

引っ越して広い空間を確保!?

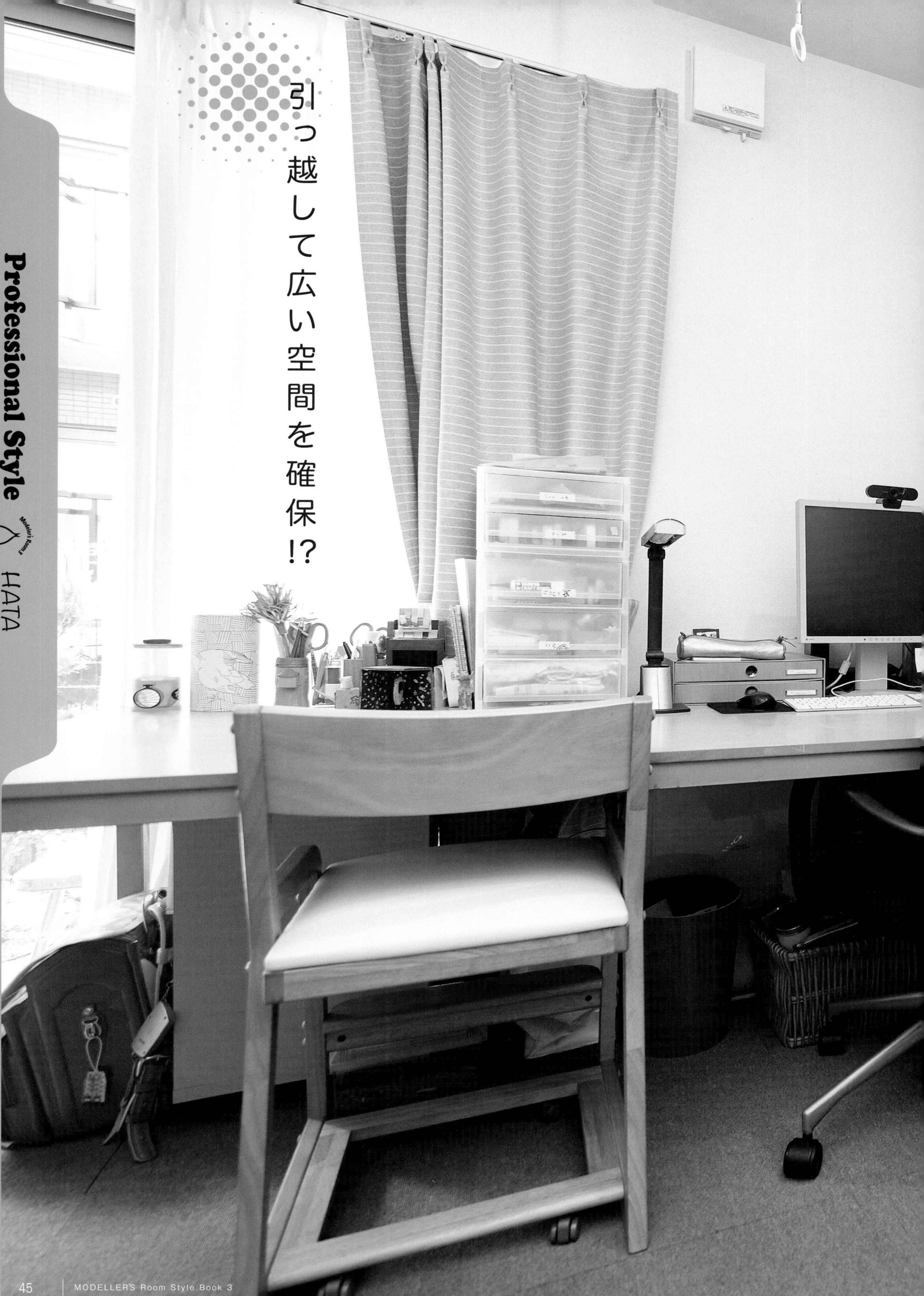

模型部屋どうしよう…

▲メインのお仕事机。部屋のいちばん奥でPCに向かって作業する。一見模型机には見えない風態だ

Modeler's Room 3

HATA

Professional Style

『モデラーズルーム・スタイルブック1』に登場したデザイナー／モデラーのハタさんが引っ越したと聞いて早速取材に伺ってきました。以前はデザインの職場で模型作業もこなしていたハタさんですが、今回はどのような作業環境を整えているのでしょうか?

半年ほど前にこの家に引っ越しました。前回模型部屋を取材されたのが2015年10月なのであれから約6年が経ち、当時ヨチヨチ状態だった娘もいまや小学1年生。そんな娘にお部屋を用意してあげたくて15年住み慣れたマンションからいまの場所へと今年の2月に移動しました。といっても同じ町内なので、環境的には代わり映えのない引っ越しです(笑)。ただ模型を作る作業部屋の環境は激変しました……娘の勉強机が同室にあるのです!

私の職業はフリーのグラフィックデザイナー。自宅で仕事をしています。部屋数にゆとりがあるわけではないので、模型部屋は仕事部屋との兼用。同業の妻も同室で仕事をしています。家が新しくなってからもこのスタイルは変わらずなのですが、そこに「娘」という新たな仲間が加わることになってしまったのです。

娘の机を作業部屋に置いた一番の理由は両親の仕事を見せることで彼女にクリエイティブな刺激を与えられればと思ったからです。他にも色々都合が良かったからなのですが、それはあくまで仕事や娘にとっての話。私的模型作業には全く都合が

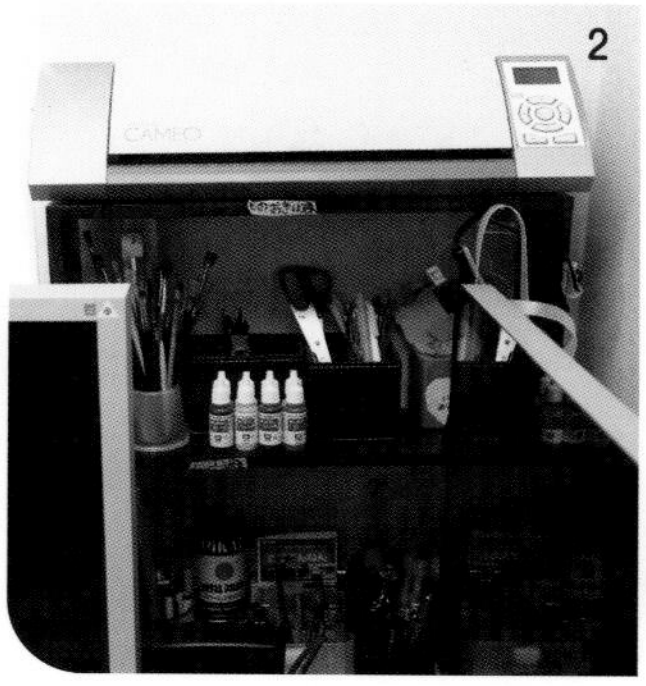

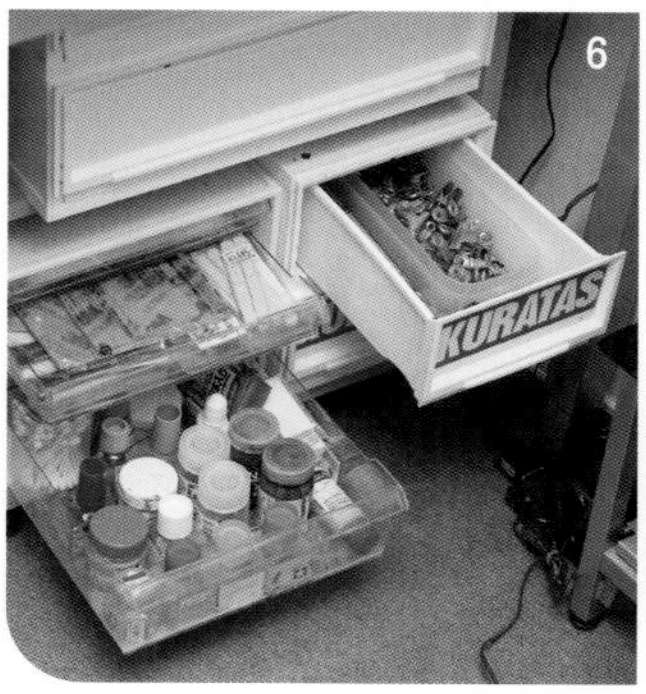

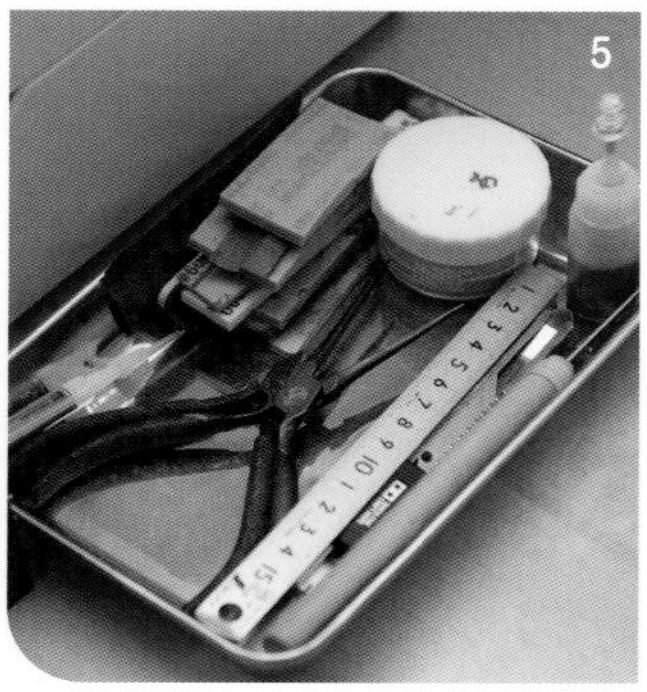

1奥から、本人の机、奥様（デザイナー）の作業場、一番手前がお嬢さんの机だ。**2**作業PCの裏には工具類がしまってある。棚の上に見えるのはグラフテック社のカッティングマシンシルエットカメオ。プラ板やマスキングテープの切り出しに重宝するという。**3**塗料は入り口がわで無印良品のポリプロピレン製のケースに入れて保管。スプレー類もこの上に乗せてある。**4**ピンバイスや彫刻等など一連の道具は揃えてある。**5**ニッパーや瞬間接着剤パテなどはトレーにいれて出しっぱなし。**6**机下の引き出しには各種マテリアルがしまってある。

HATA's Room

Room Spec

- 場所：東京都某所
- 住居形態：賃貸
- 築年数：5年
- 間取り：2LDK（二階建て）
- 作業部屋の広さ：8.5畳
- 家族構成：自分・妻・娘

じつはまだ未完成。塗装ブースはなんと庭に設置

▲庭に設置された塗装ブース。そのホースの先は一応段ボールで養生してある。実はまだ塗装する場所さえ決まっていないのである

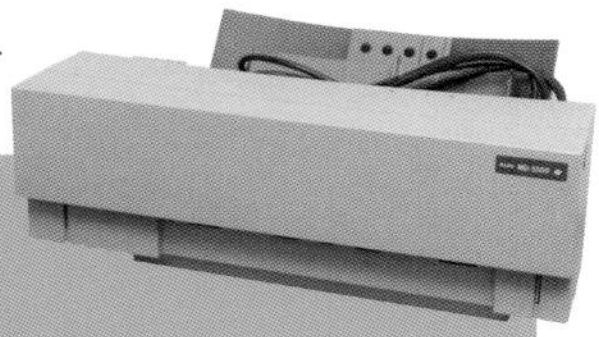

▶デカール印刷用にMD-5000が現役で動いている

ハタ

1973年生まれ。
本業はデザイナー。50も背中が見えてきましたが、相変わらずロボットのプラモデルをメインで製作。これは死ぬまで作り続ける気がします（笑）。スケール熱も年々上がってるんですけどね
　数年前にちょっと病気して、健康面には色々気をつけて模型を楽しんでおります

良くありません。娘がいるときに盛大にヤスリがけをするわけにはいかないし、ミストの広がるエアブラシ塗装なんてもってのほか。どうしましょ。悩んだ結果、派手なヤスリがけやエアブラシ塗装は作業部屋に隣接した庭ですることにしました。屋根のあるスペースにキャンプ用の折りたたみ机と椅子を置き、1軍の工具たちはトレーごと庭に持ち出します。そして周りを気にせずカリコリゴシゴシ……。けっこうこんな製作スタイルもいいんじゃない？　と思っていたのですが、やり続けるうちに色々と問題も。まず暗くなったら作業終了。大雨の日はできない。そして7月に入ってからは蚊が生き血を求めて大量に集まってきます！（今現在は8月初旬）まぁちょっと考えればどれも想像できたことですよね…。

　そんなわけでお外モデリングの割合は少しずつ減り、家内モデリングでの製作はなるべく粉の出ないやり方に変化しています。

　まだ納得のいく製作スタイルを確立できていませんので、もう少し改善に努めたいと思う今日このごろです。

　ちなみに娘と同室になったせいか、一緒にプラモデルを作ったり、彼女の作品製作を手伝ったりする機会が多くなりました。これには素直に喜んでいます！ ■

シンプルながら全ジャンル対応の「工房」

Professional Style
Modeller's Room 3
Noriyuki Kubo

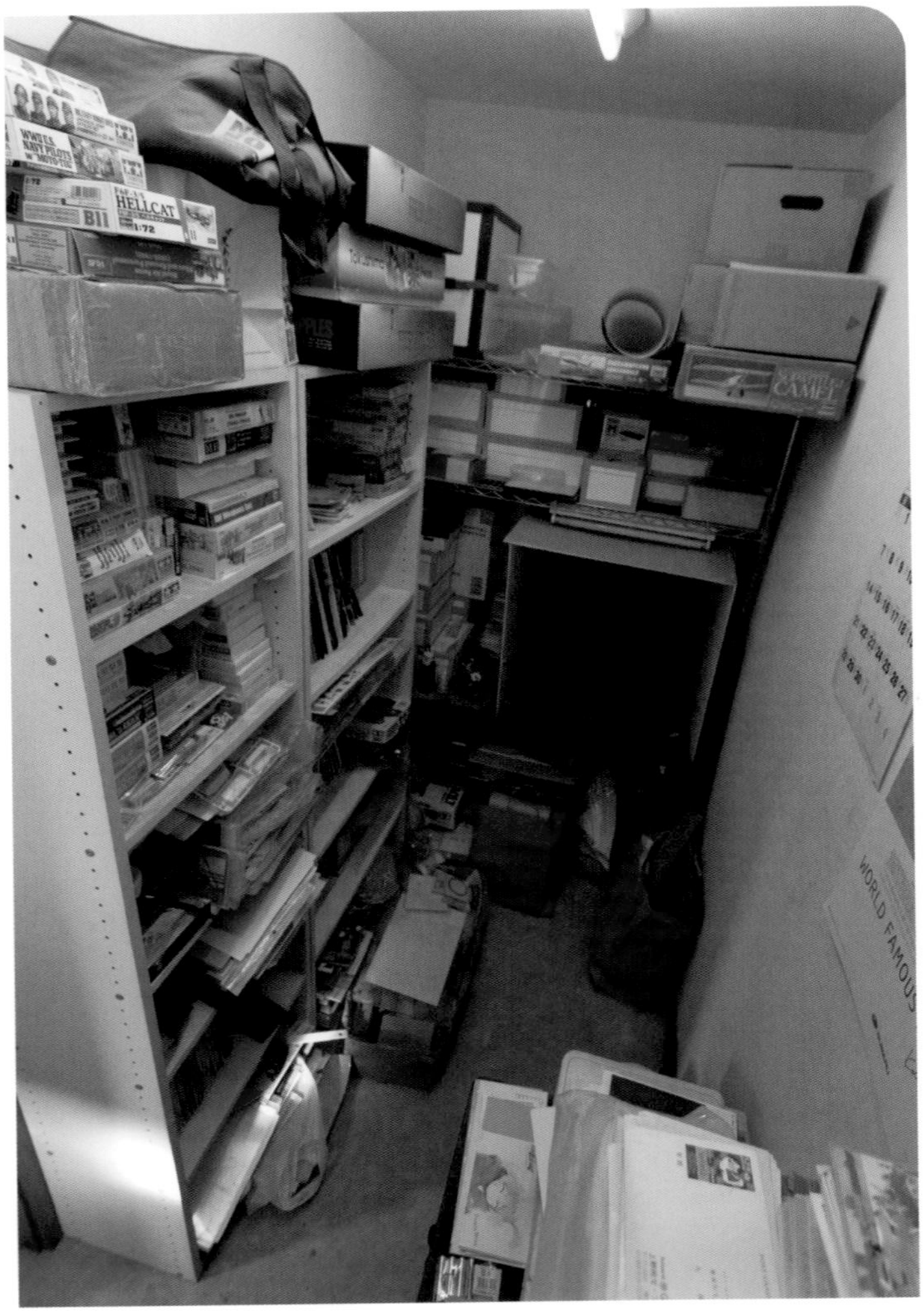

Modeler's Room 3

Noriyuki Kubo

Professional Style

『月刊モデルグラフィックス』誌では主に飛行機模型の作例が多い久保さんだが、実はオールマイティな作品製作を得意としている。専業で模型製作を請け負う久保さんだけにその模型部屋は職人のそれとなっているのでした。

▲ちょうど模型部屋の外側には完成品がディスプレイされており、模型部屋側から内容を入れ替えれる
◀製作室の隣は1畳の在庫模型置き場兼完成品収納兼撮影スペース兼PC作業部屋

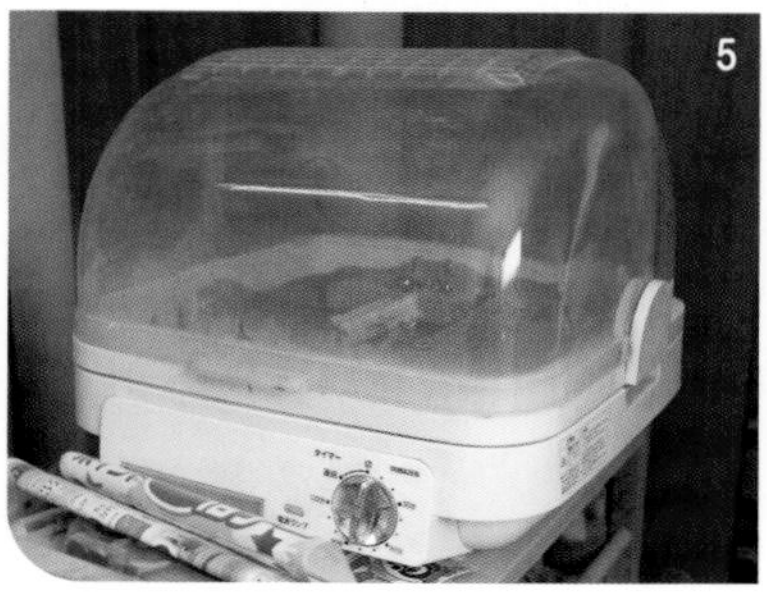

1作業机正面に向かって右はよく使う工具、材料類。左の棚はクリアーやサーフェイサーなどよく使う塗料で、大半はすぐに使えるようあらかじめ希釈を済ませてある。 2コンプレッサーはエアテックスのものにエアータンクを取り付けて使用している。 3製作机の右側は道具材料をたっぷり用意。手前上側がペンチやカッターナイフなどの使用頻度高め工具、塗装用具（クリップなど）が準備されている。 4カッティングプロッターはマスキングテープをカットしたりするのに使用している。 5乾燥機には山善の食器乾燥機を使用。 6模型を作り続けるうえで、塗料の在庫切れを起こすのは死活問題。そのためGSIクレオスMr.カラーはは店舗用什器を使い大量にストックしている。 7エアブラシは、エアテックス Beauty4 トリガー、エアテックス XP825P、GSIクレオス PS-270、PS-266を使用

Kubo's Room

Room Spec

- 場所：徳島県
- 住居形態：戸建て（持ち家）
- 築年数：8年
- 間取り：4LDK
- 作業部屋の広さ：3畳+1畳

8年前にようやく確保できた模型専用の空間

趣味として模型をはじめて、もう半世紀を過ぎてしまいました。小学校5年生のとき色塗りを覚え、社会人になってコンプレッサーを手にしてからは、塗装のほとんどはエアブラシによる吹き付け塗装になりました。そんなこんなで続けていた模型も14年前くらいから副業として収入を得られるようになり、7年前からは雑誌作例製作や製作代行、メーカーの塗装完成見本製作など、模型を作ることを生業としてます。

模型を作るうえで、結婚してからはやはり溶剤臭や飛沫、粉塵等の苦情が家族から出るようになり、それをどうするかが課題になりました。以前の家では生活空間からできるだけ遠い2階の一室を作業部屋にしていましたが、塗装ブースもなかったので作業中は真冬でも窓が全開でした。いまの家は8年前に建てましたが、そのときに自分で間取りを考え、ようやく専用の作業部屋を確保できました。

計画の際にいちばん気をつけたのは換気をどうするかで、最短経路で排気すると隣家側に排気することになってしまいます。そこで天井裏通したダクトを通して駐車スペース上空に排気し、周辺に迷惑にならないようにしています。部屋自体もひとつの空間にせず、常設の撮影ブース、完成品などのストック、PC（iMacで、Webサイト閲覧のほかデカール、カッティングプロッタ用の版下製作にも使用）などを置く約1畳ほどの部屋を別途設けました。

近所にニトリがあるので机や椅子、収納ケースに卓上照明はひと揃いそこで調達しました。さらに机上には板材で自作した小型の棚を設置して、使用頻度が高い色をエアブラシ用に希釈した状態で置いています。塗装ブースは当初はGSIクレオス製品を使っていましたが、壊れたのでいまはエアテックスのレッドサイクロンを使っています。LEDライトが付属するので明るく便利ですが、吸引力がもう少しほしいところです。また、ブース後方から排気されるため本体がやや前に出てしまうのも若干気になってしまうところではあります。

現在導入しようか悩んでいるのはカラーレーザープリンタと3Dプリンタ。どちらも安くなってきてはいますが、とはいってもまだそれなりの価格ではあるので……。それ以外でも、いまは便利な工具がいろいろありますので、SNSなどで紹介されて気になったものは価格的に手を出しやすい100円均一ショップのものを中心に、いろいろ試したりもしてます。

あと、複数キットを並行製作することが多いので、部屋を効率よく活用するために別のキットでも同色系で塗る部分はまとめて塗装したりして、手順の効率化をはかっています。吹付け順もクリアー系からはじめて明色系、原色系、暗色系、メタリック系として掃除の手間を減らし、1日の作業が終わった時点でしっかりと洗浄、翌日はまたキレイな状態で作業がスタートできるように心がけています。■

久保憲之

趣味から模型メーカー勤務などを経て、現在は模型を作ることがメインのお仕事。趣味模型は飛行機や自動車（withフィギュア）多め

もとは自室の作業部屋、物干し竿を活用し……

Professional Style

Modeller's Room

Tadanobu Kuniya

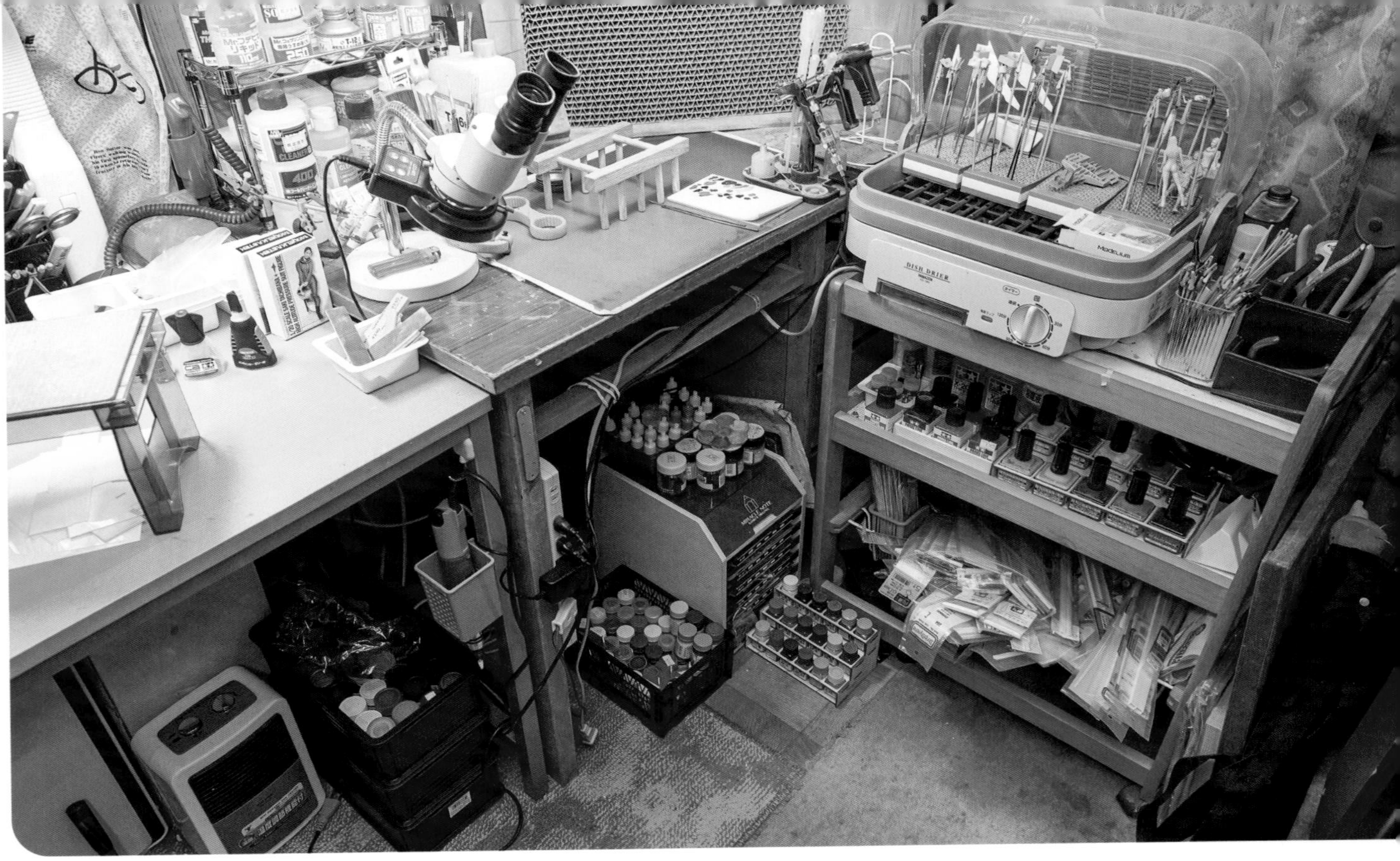

部屋の奥に陣取るスタイル

Modeler's Room 3

Tadanobu Kuniya

Professional Style

プロのモデラーである國谷さんは独り身で自宅を引き継いだため、もとの自分の部屋を完全に模型専用の部屋にしてしまいました。組立てから途中写真の撮影まですべてをこの部屋で行なうスタイルは羨ましいかぎり。

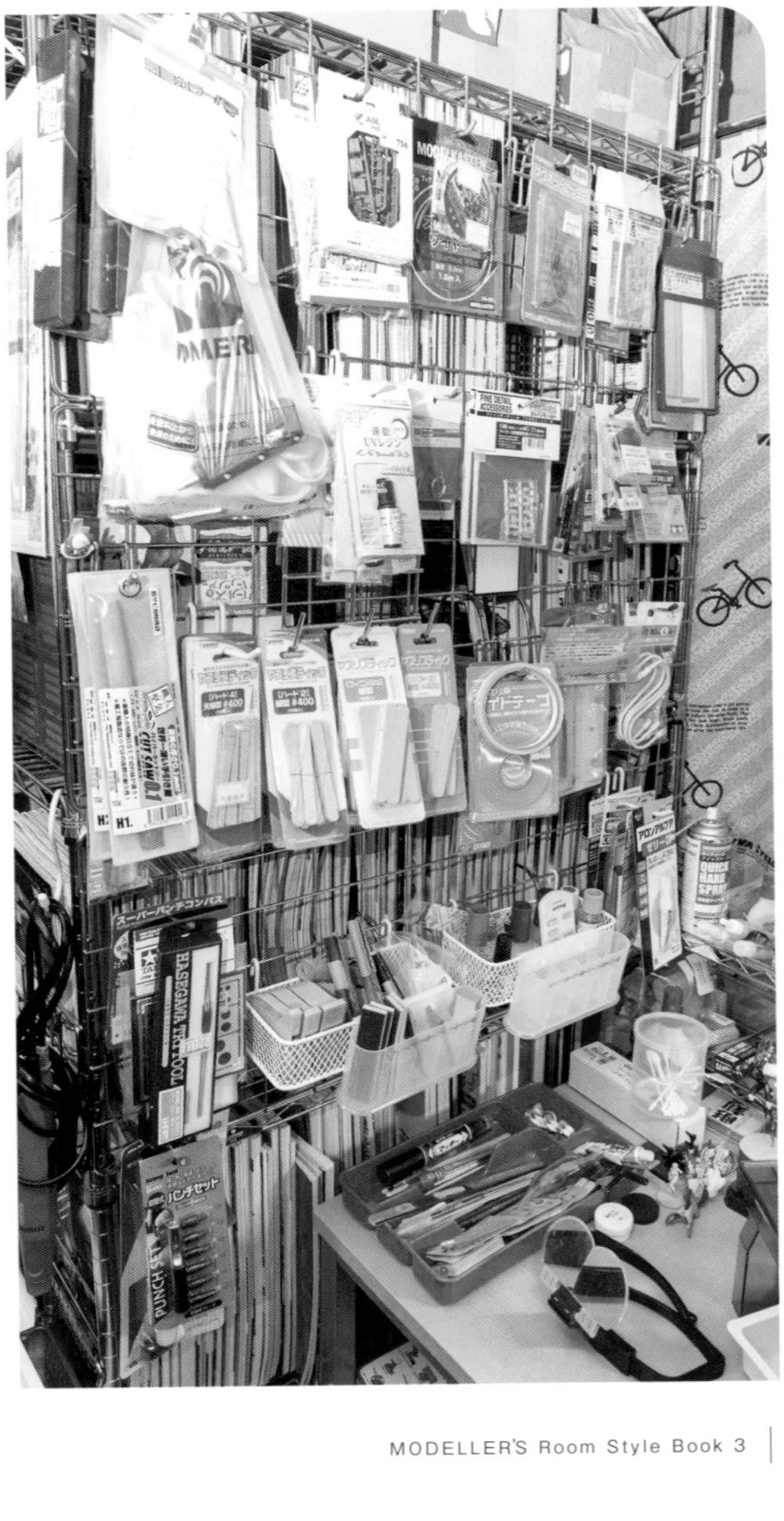

▲作業机うしろすぐには撮影用のブースが常設してある。
▶ツール類の在庫は金網ラックにフックで掛けて管理している

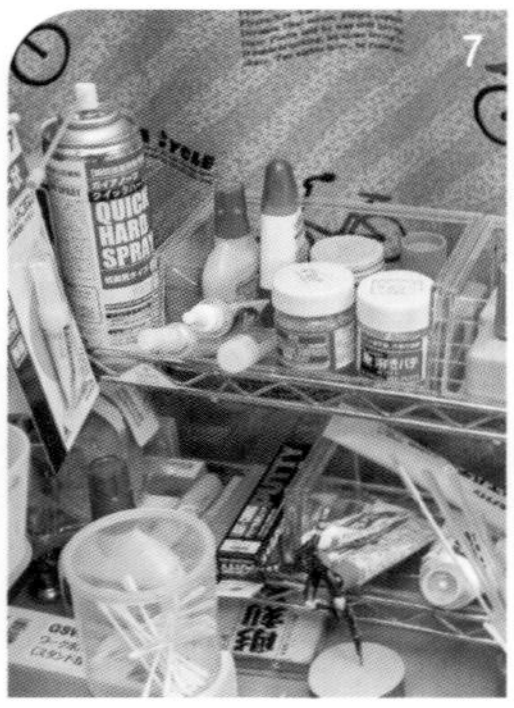

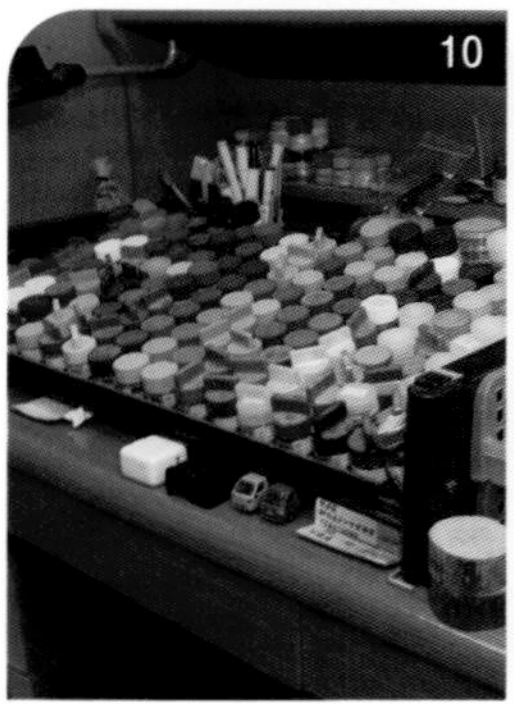

1お菓子の空き箱をつかって流用パーツなどは区別、管理している。**2**皿立てを流用して組立て中のキットのランナーを整理している。**3**昼夜でひかりの加減が変わるのが嫌でカーテンは閉めっ放しだ。**4**こまかい作業の際にかち上げてより目に近い位置で作業するための台。**5**マスキングテープなども手の届く範囲に金網を張りラックにかけて管理している。**6**エアブラシはタミヤのスプレーワークスのカバーを外して使用している。ニードルを頻繁に調整しながら塗装するスタイルなのでカバーがどうしても邪魔になってしまうという。**7**高粘度タイプ、流し込みタイプなど各種接着剤を卓上に設置。瞬間接着剤やゴム系接着剤などもここで管理している。**8**机の足下には電源タップを設置。電動ツールの電源をここからとっており電源のオン／オフをまとめている。リューターは常設しており、いつでも動かせるようにしてあるという。**9**プラ棒などは立てて管理。**10**塗料はズラリとストレージにならべて保管している。何色があるのか一目瞭然

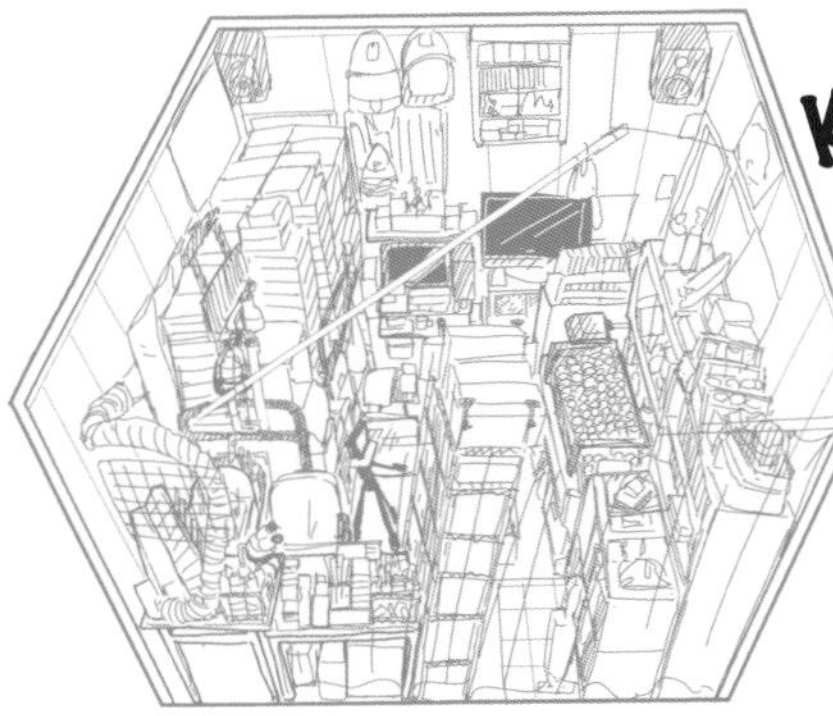

Kuniya's Room

Room Spec

- 場所：福島県相馬市
- 住居形態：一戸建て自宅
- 築年数：40年
- 間取り：5LDK
- 作業部屋の広さ：8畳
- 家族構成：本人

ふたつの机に作業を分けたいも、現在模索中……

いわゆる実家です。両親が身罷ったあと、模型を仕事にすることにした際に元々の自分の部屋を作業部屋としました。模型用にリフォームなどはしていません。レイアウトはこれで決定というわけではなくて、現在も模索中ですね。作業スペースは3畳程度だと思います。

作業机は工作用と塗装用に分けたかったので机をふたつ並べています。でも実際作業中に使うスペースはそれぞれA4サイズくらいあれば充分で、あとはだいたい工具置き場になってます。

顕微鏡は工作、塗装両方で使いますので境目に配置したのですが、そのせいか座る位置も境目になることが多いです。あまりいいことはないですね。

照明はそれぞれの机にひとつずつLEDライトを設置しています。コンプレッサーや塗装ブースも含め、すべての電源はスイッチ付きのタップにまとめて机の脚に固定し集中管理できるようにしています。

極度の面倒くさがりなので、100円均一ショップのワイヤーメッシュパネルを使ってほとんどのものが手を伸ばせば届く範囲に収まるようにしています。いちおう工具類はジャンル別に分けて、それを守るようにしていますがあまり厳密な分類はしていません。

流用パーツや小物はお菓子の空き容器で仕分けして隙間ストッカーで管理しています。塗料は使用頻度の高いものはコンテナに入れて足下に、それ以外は塗料ラックに入れて別に管理しています。

塗装中は昼夜で光源に変化が出ないように部屋の遮光カーテンを閉め切ります。西側に窓があって西日が入り込むので雨戸を閉めっぱなしです。

資料書籍は必要なものだけ出して見るようにしていますが、製作中は大抵足下に広げていて足の踏み場がなくなります。最近は資料閲覧にタブレットを使うケースが増えたので固定方法を考えているところです。デスクトップPCとTVは見ていると手が止まってしまうので、振り向かないと見えない位置に置いています。

珍しいと言われるのは室内に物干し竿を下げてることでしょうか。本来は洗濯物の室内干しのためだった（仕事に行ってるあいだは物干し部屋になっていた）のですが、情景材料やサイズの大きいパーツを乾燥させるときなどにぶら下げておけるのでとても便利です。油断すると顔にぶつかります。

模型のストックは部屋の収納スペースでは足りないので、以前使っていたロフトベッドを棚として使っています。自分で作った完成品には興味がないので、箱詰めして物置に入れるか馴染みの模型店にお願いして展示していただいています。

そのロフトベッドの一角に簡易撮影ブースを設置したんですが、使い勝手が悪いのでその改善と、作業中の写真をうまく撮影できるような仕組みを考えなくてはいけません。途中写真があまりに酷くて、いつも編集部に迷惑をかけているのです……。■

國谷忠伸

くにやただのぶ●最近はすっかりフィギュアモデラーに擬態している雑食モデラー。生粋のオフロードライダーのためか、模型も平坦なやり方にはあまり興味がないかも。

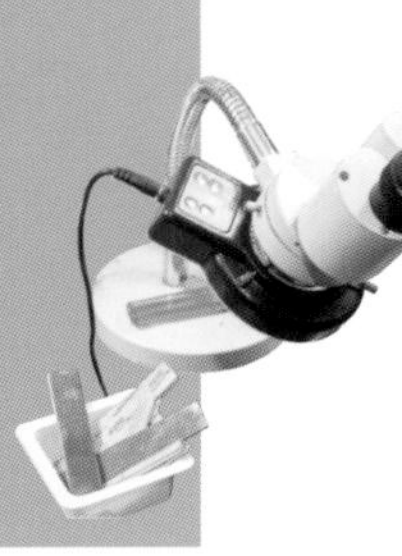

工作専用部屋から塗装／マンガ執筆兼用へ

Professional Style

BowieKnife

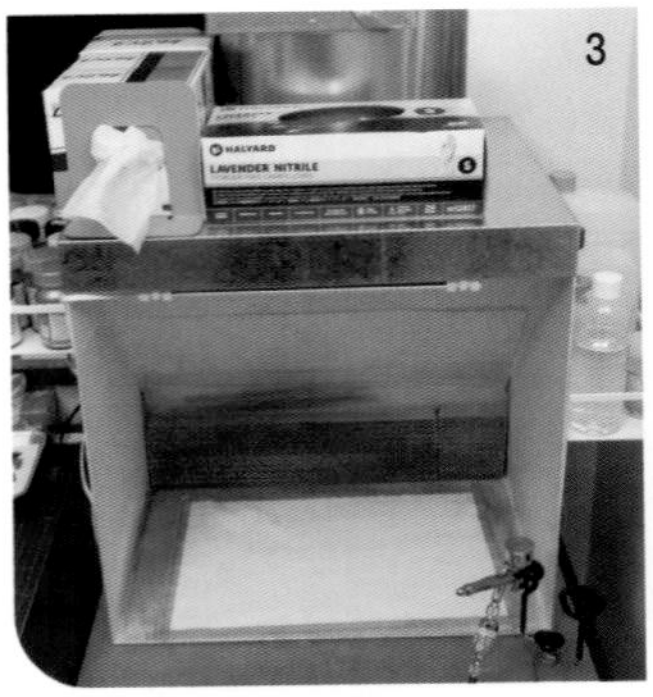

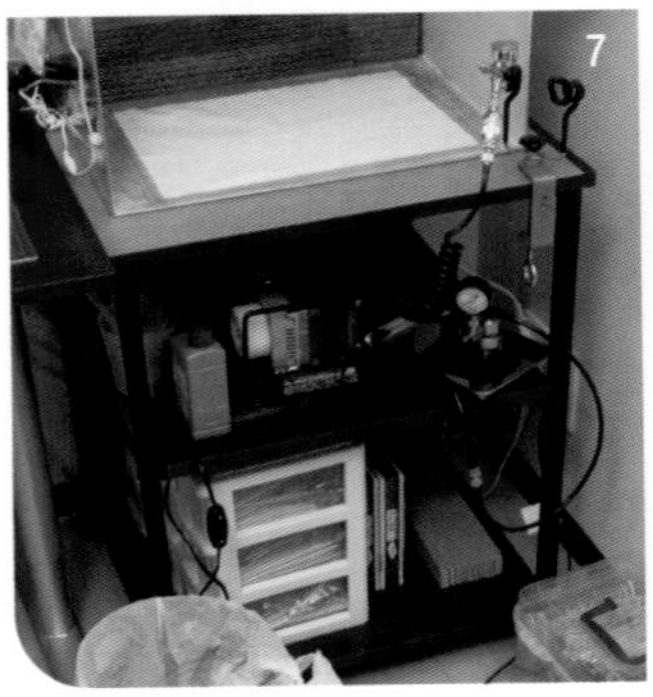

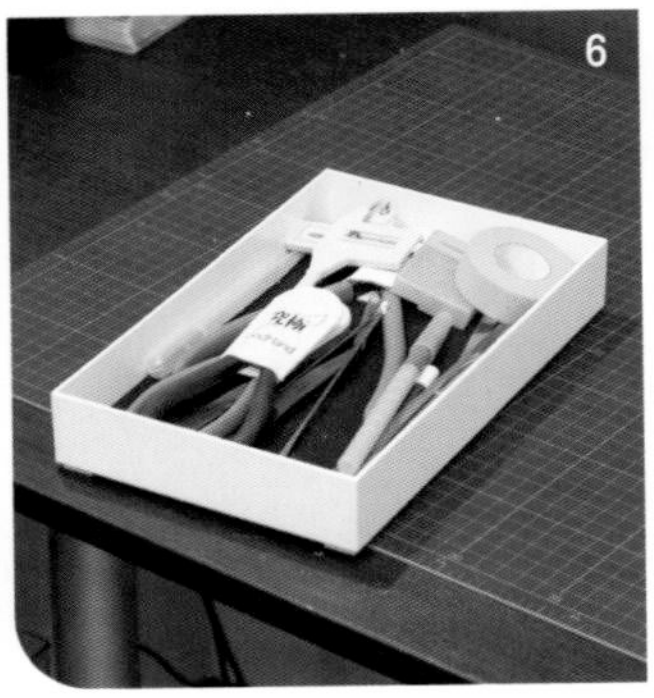

1 2 100円均一ショップで購入した仕分けボックスにポリキャップやBB戦士の武器など、こまごましたジャンクパーツを整理して収納している。3塗装ブースはネロブースmini。周辺環境に配慮して人の頭の高さより上から排気。4ポリプロピレン製の引きだしに大型の道具類を収納している。5無印良品 ポリプロピレン引き出し式収納ケースは各種塗料瓶がピッタリ収まる。6卓上にはツール入れを準備し使い終わったらしまうことを徹底している。7ネロブースminiを設置するために業務用プリンタラックを導入。下段にエアコンプレッサーも設置

Modeler's Room 3

BowieKnife

Professional Style

引っ越しを契機に模型部屋を一新させた、漫画家のボウイナイフさん。ネロブースを購入し塗装もこの部屋で仕上げるようにグレードアップいたしました。

Room Spec

- 場所：徳島県
- 住居形態：賃貸マンション
- 築年数：約15年
- 間取り：3LDK
- 作業部屋の間取り：約8.5畳

BowieKnife's Room

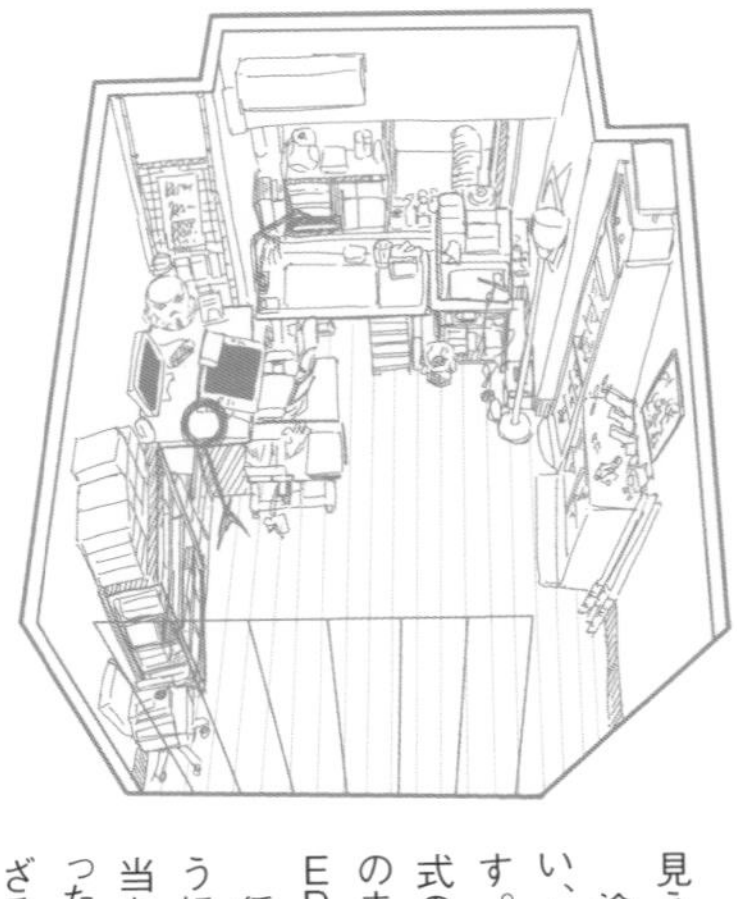

2021年4月に東京都から徳島県へ移住したのが大きな変化です。以前は部屋のサイズの影響もあって、模型の組み立てや改修は自室でやって、塗装は「ガイドビーコン」というレンタルスペースで行なっていました。四国には行きやすい場所にレンタルスペースがなさそうだったので自室ですべて行なう方向にシフトしています。

また、前回は絵を描く作業場所と模型の製作場所は別々でしたが、ほかの部屋をゆったり使いたかったので、引っ越した際に作業場所を1ヵ所に集約しました。机をL字状に配置し、絵を描く机と模型用の机を分けています。

模型用の机の上には製作時以外はできるだけなにも置きたくなかったので、いろいろな方の模型部屋を参考にして、工具や塗装用具は机下に収納しています。工具はB4サイズのタワータイプの引き出し式のワゴンに入るようなトレイを用意して、用途別に入れ分けています。使うときにトレイをそのまま机上に出すカンジです。トレイにはクッションを引いて工具が傷つかないようにしています。塗料は本誌の特集でもたびたび紹介されていた無印良品のポリプロピレン収納ケースが大小の瓶の高さにぴったりだったので、それを積んでワゴン状にしたもの塗料を収納しています。狙ったかのように塗料瓶の高さとぴったりなのでオススメです。

模型机の奥（窓側）にある電子レンジ用ラックもけっこう頑丈なのでいろいろ置いていますが、今後は整理してなるべく物が見えないようにしていきたいです。

塗装環境はエアコンプレッサーL5を使い、ネロブースminiで換気を行なっています。ネロブースは金属製なのでマグネット式の小棚も付けられるのがいいですね。そのままだと手元が暗いのでセンサー式のLEDライトを磁石でくっつけています。

賃貸なので、なるべく塗料で汚さないようにビニールシートを壁に貼っています。本当ならベランダ側に模型部屋を配置したかったのですが、間取り的に廊下側に設置せざるを得ませんでした。廊下側も解放空間ではありますが、ほかの居住者も通る場所なのでなるべく夜間に塗装するようにしています。また、ネロブースの排気ダクトも効率が悪くなることは承知の上でなるべく人の頭より高い位置に設置するようにしています。お子さんもいる集合住宅では塗装にはとくに気を遣うべきと思います。

人に気を遣うのはもちろん、自分も塗料のにおいなどが得意ではないので塗装をする際は必ず使い捨ての手袋、塗装用マスク、ゴーグルをつけています。毛髪や頭皮も意外と毒性物質を吸収しちゃうので、可能ならヘアキャップもつけてやっています。健康第一で長く模型をやっていきたいところですね。最後に。イラストや漫画のお仕事もお待ちしております（切実）■

ボウイナイフ

本業（お医者さん）をやりつつ漫画家もやりつつ模型もやっている。『月刊モデルグラフィックス』では『ギャルモデラーカス子ちゃん』を連載中

Homely Style

SATAMAMI / TOBIBUTA / Koichi Inai & Chario / Yota Tokunaga / Masaya Yamashiro / GUCCI / ABSN / KIGUSAN / YUUSAN

匂い、粉塵など模型趣味は家族の協力がないと成立しない趣味でもある。

それをどう妥協点を見つけていくかが、一般的なモデラーの実態ではないだろうか。

そんななか模型部屋を確保できた人はどんなことに気を使って環境を維持しているのか。

こちらもヒントをさがしてみたい。

さまざまな部屋を経て、空間効率はさらに高く

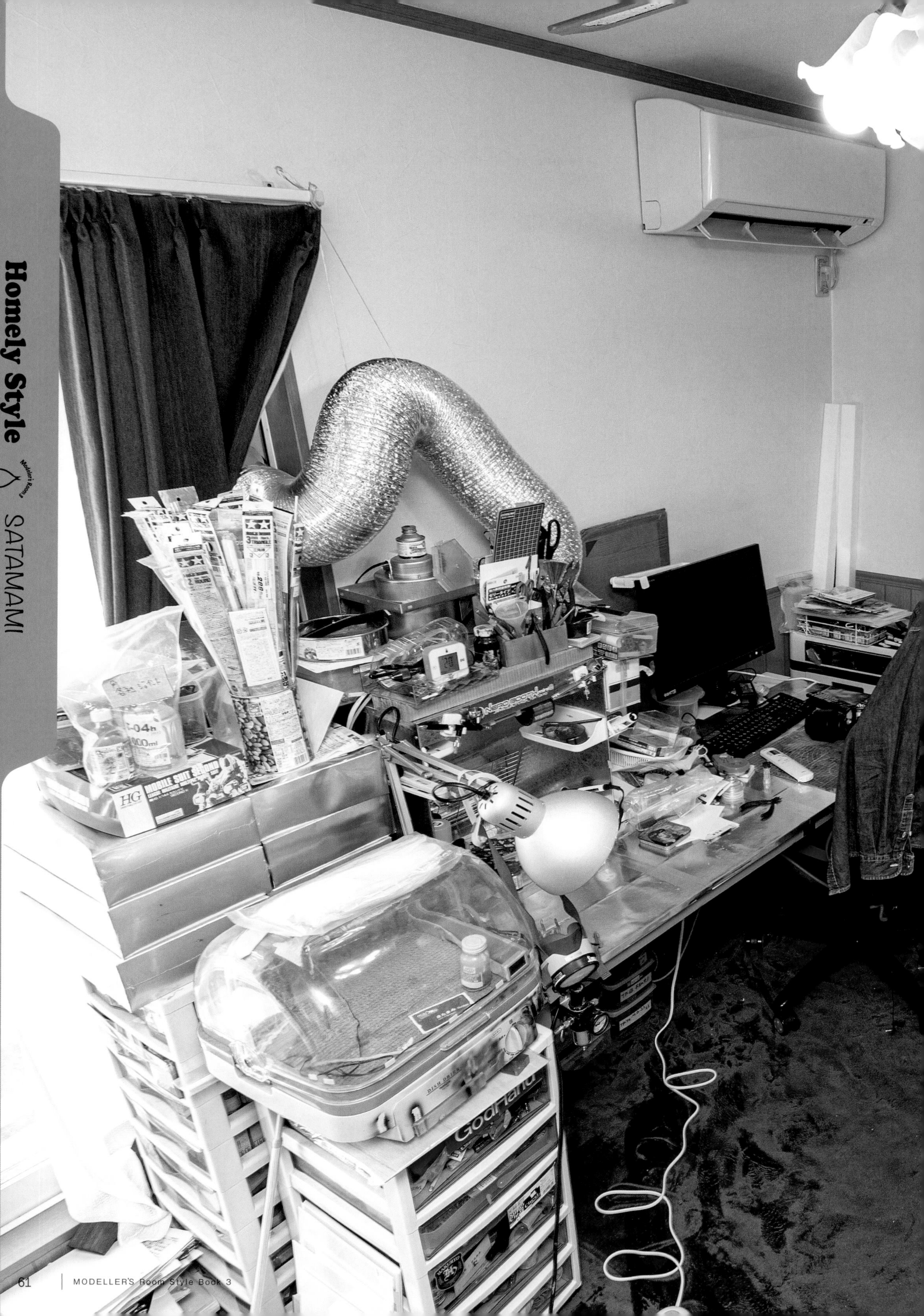
HG
MOBILE SUIT SWORD
GodHand

Modeler's Room 3

SATAMAMI

Homely Style

一人暮らしから退職を機に兵庫の実家の6畳一間に移ったさたまみさんだが、またもや上京し少々狭い部屋に移ってきたのですが……

日常と模型製作空間の共存とは……

▼机の半分を占める塗装ブースは"ネロブース"。スチール製で丈夫なので上にモノを載せてもびくともしない

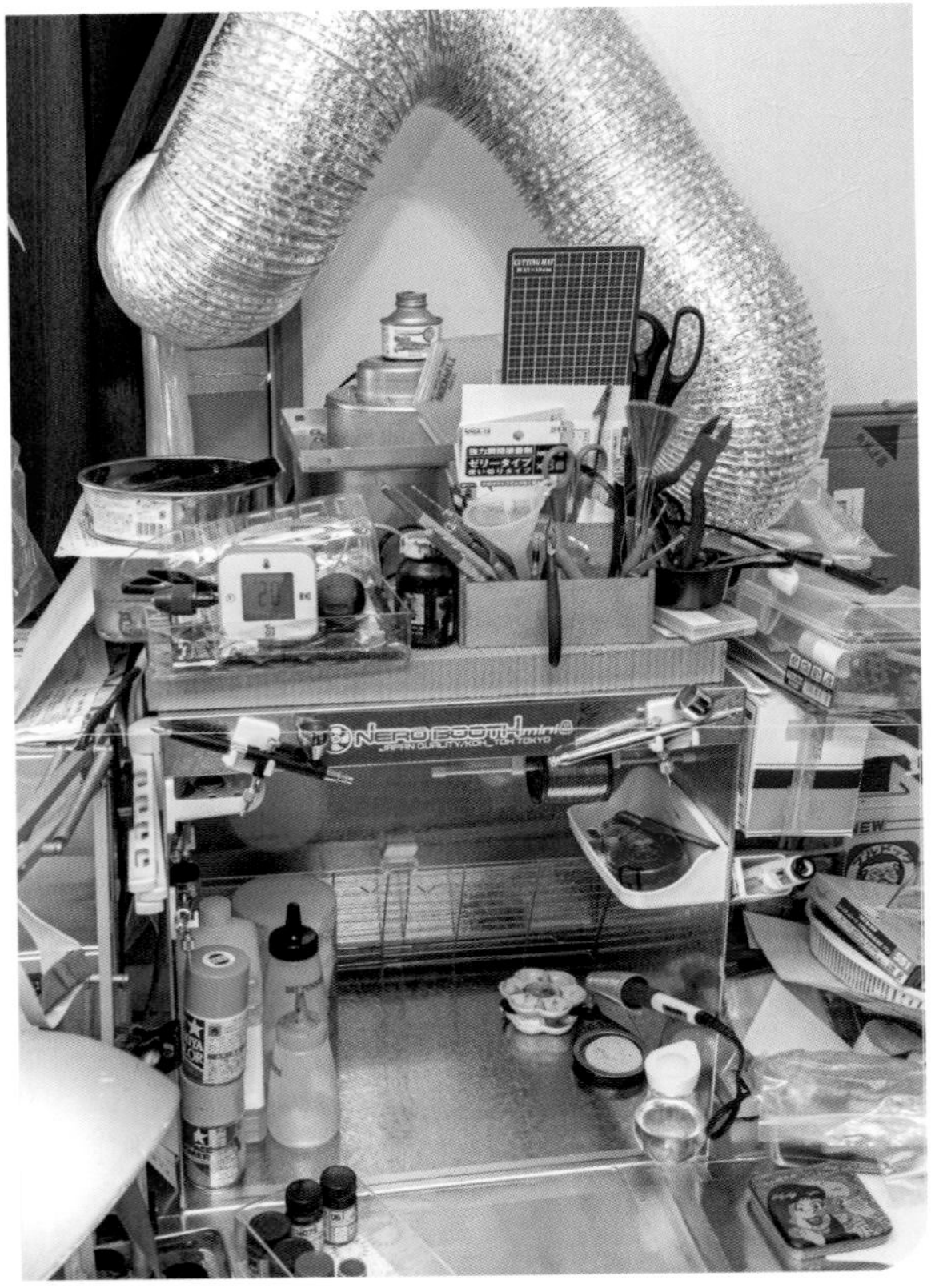

初登場時は「専用の模型部屋」、二回目は「家族と同居、与えられた一部屋でどう戦うか」でした。三回目となる今回はふたたび実家を離れてひとり暮らし、それも初登場時の部屋ほど広い空間ではないため、「日常を過ごす生活空間と模型作業空間、それぞれをいかに許せる範囲で展開するか」というコンセプトで部屋づくりをしています。

部屋を作るにはまず収納などの確保ですが、実家からはメタルラック、衣装ケース、塗料などを入れている引き出しやパソコンなどを持ってきました。テレビ台および一部家電製品は大家からのプレゼントです。

塗装ブースの選択は悩みました。担当編集が「互換ブースランニングテスト」（今号はP109）をやってる編Mなので互換ブースを相当プッシュされたのですが、最終的にがっとねろ氏から直接プッシュされネロブースminiに決定。とりわけ、今後も引っ越しが発生するかもしれないという立場上「ネロブースminiならシロッコファンとダクトをブース内にしまえる。なんならそれで引っ越ししてまえ！」という言葉はクリティカルヒットしました。そして、ネロブースを導入するならその重量を支えられるように机も頑丈なものにする必要があります。そうそういくつも机を置ける環境ではないので、パソコンデスクも兼ねる幅160㎝のものをどどんと購入。購入後すぐは「大きすぎたかな？」とも思いましたが、使っているとベストな買い物だったと思うようになりました。

各部屋の照明はスマート電球を導入し、「アレクサ、照明つけて」といったかけ声でON／OFF、明るさや光の色まで変更できます。模型製作中手が離せないときに

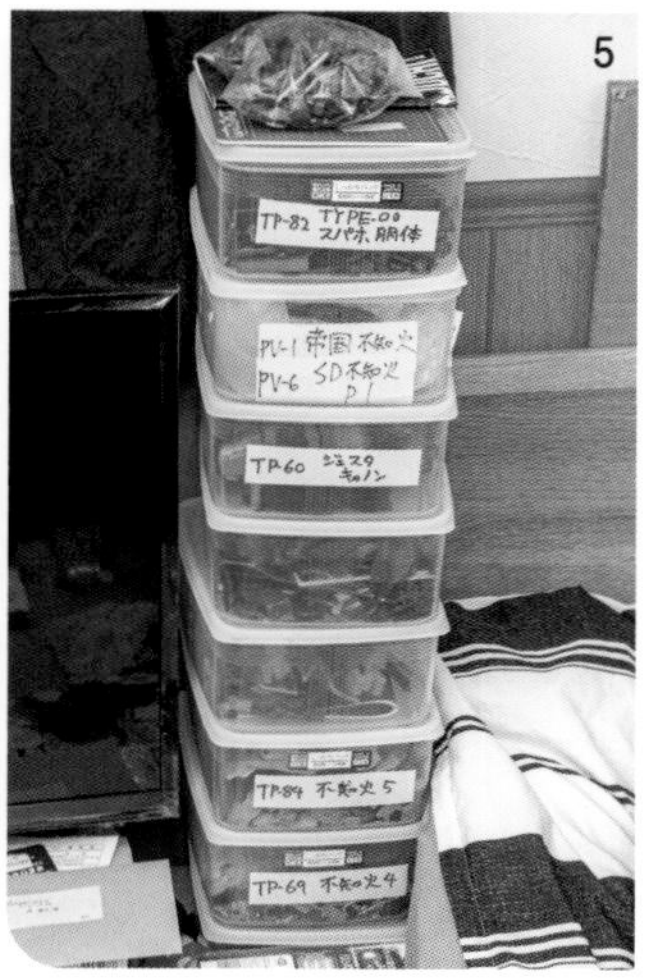

1コンプレッサーはエアテックス サイレントⅢ。筐体の上に在庫キットが積まれている。2書類ケースに塗料を保管し、その上に乾燥ブースとして丸善の食器乾燥機をおいている。34排気ダクトは縦長のアタッチメントを取り付けてベランダに逃がしている。5手を付けているキットだけでなく、キットを圧縮するためにパーツだけにしたものをタッパーに詰めて保管している。6大きなメタルラックは室内とキッチンそれぞれひとつづつ設置。なにせあまりスペースがないので、室内のほうは未組み立ての模型、フィギュア、着替えと「なんでも置き場」となっている。73Dプリンタは置き場所に困り、トイレに設置している。

SATAMAMI's Room

Room Spec

- 場所：神奈川県厚木市
- 住居形態：賃貸
- 建物全体の間取り：1K
- 模型部屋の大きさ：約7.5畳
- 家族構成：本人

ネロブースを中心にレイアウトを決めていく

▲缶スプレーを吹いてもミストが部屋に漏れないという吸引力を誇るネロブースは内部に溶剤類が溜まりがち。匂いがまったくしないのだ

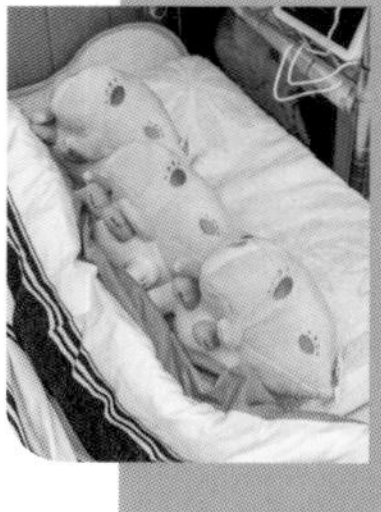

さたまみ

さたまみ（firstAge）／メインジャンルはキャラクターロボット系だが、なんの因果か最近はすっかりキャラクター寄りスケールモデル作例ばかり。

便利ですが、たまに塩対応（無反応）なことがあるのが玉にキズでしょうか。

最後に模型在庫について。初登場時は模型部屋とは別の部屋を倉庫代わりにしていましたが、実家に戻ったとき、仮組みをしたり、全パーツをランナーから切り離して袋に詰め、体積を減らしていました。今回引っ越ししてくるにあたり、ある程度は持ってきたのですが、さすがに限度があり、いまも大量に実家に置いたままです。可能なかぎりリスト化、管理番号を書いたラベルを貼っておいたので、実家に電話すれば、作りたくなったりしたものは送ってもらえるようになっています。

リスト化／ラベリング作業開始時点では「あってもせいぜい100個くらいでしょー？」とたかをくくっていたのですが、リスト化が進むにつれ増え、最終的に300を超えていることが判明しました。同じものを複数買っても、それは「1」と認識してしまうことが多いので、認識がどんどんズレていっていたようです（作例製作の際にも検討用／いざというときのパーツ取り用に同じキットをもうひとつ買ったりする）。みなさんもいちど手持ちのキットをリスト化してみてください。こころなしか気持ちに負荷がかかります■

整理整頓大好き！ 床にモノを置かないと
模型部屋はここまでスッキリするのです。

VAIO
SONY

ゴチャつくのは塗装ブースまわりのみ

Modeler's Room 3

TOBIBUTA

Homely Style

事務所のようにキレイに片付けられた模型スペースを維持しているのはとびぶたさん。片受けが趣味だというが、それを継続するにもコツがあるようです。その極意を伺ってみましょう

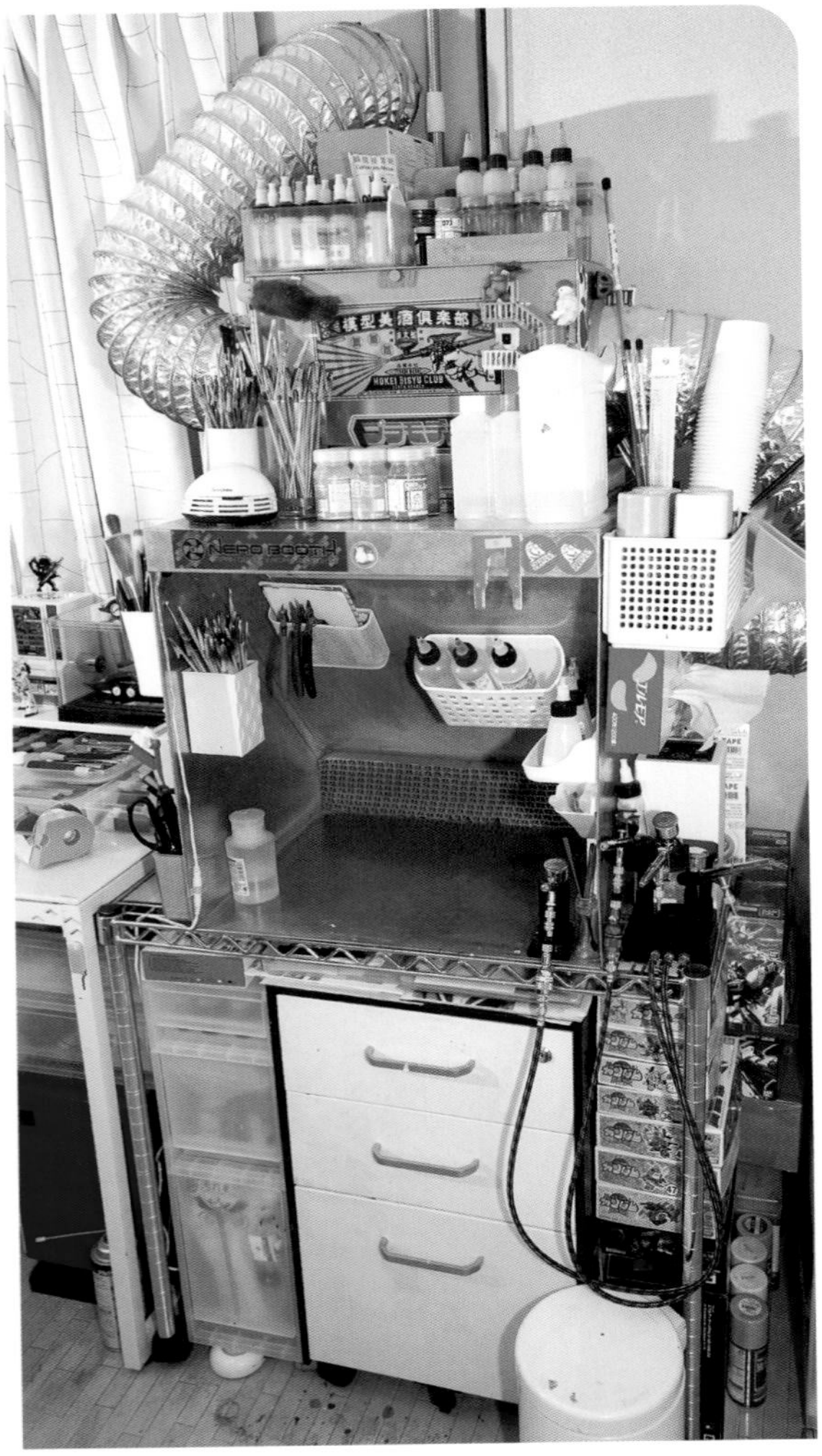

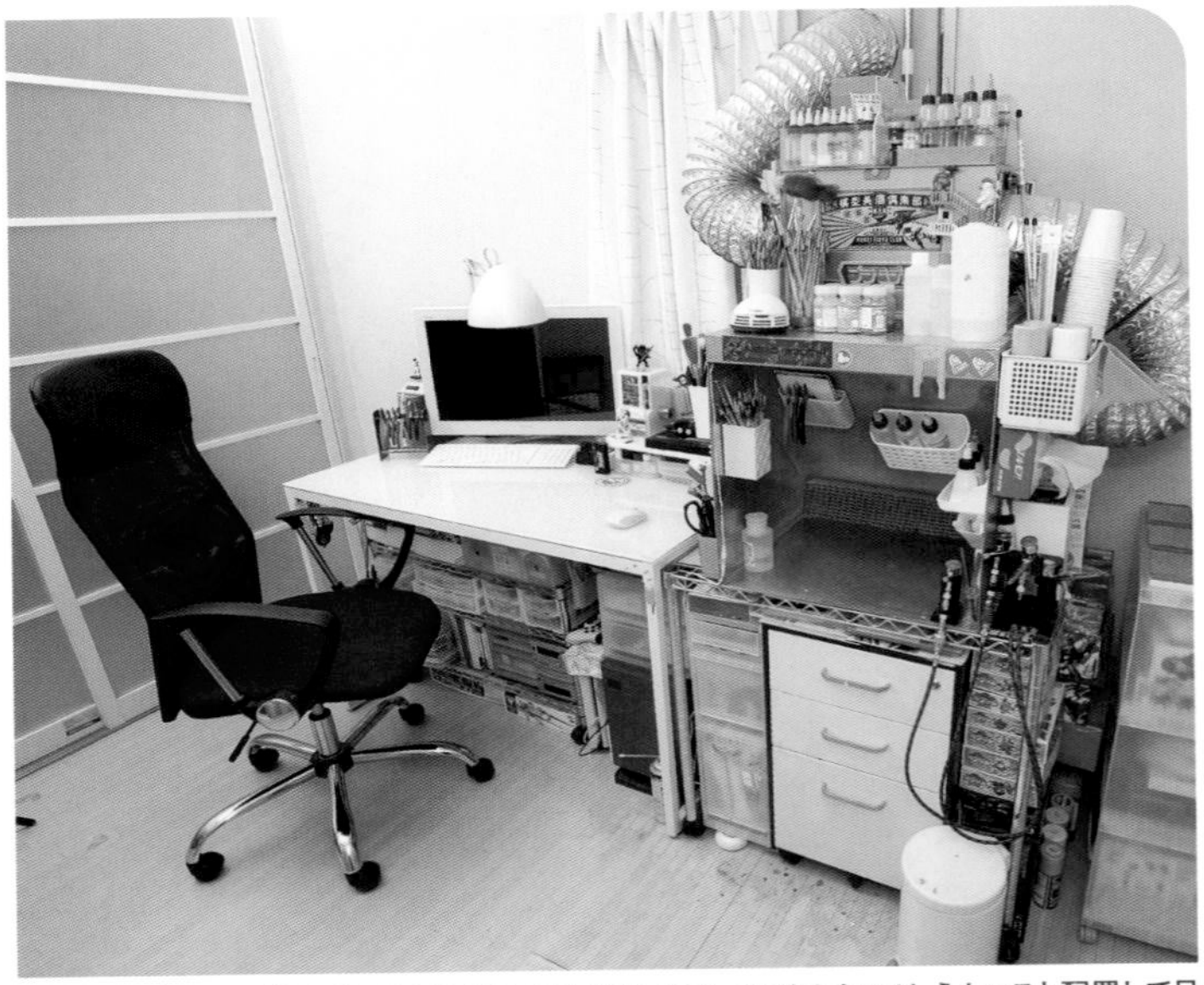

◀▲塗装ブースはダクトがあるためどうしても配置がキレイにならないが、うまいこと配置して目立たなくしている

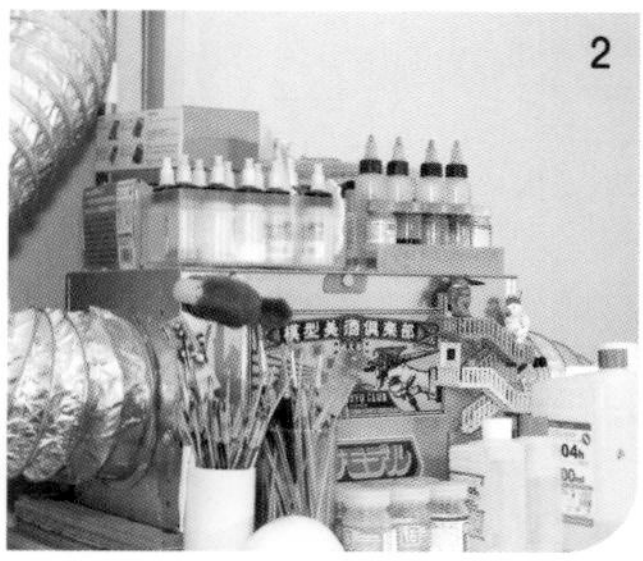

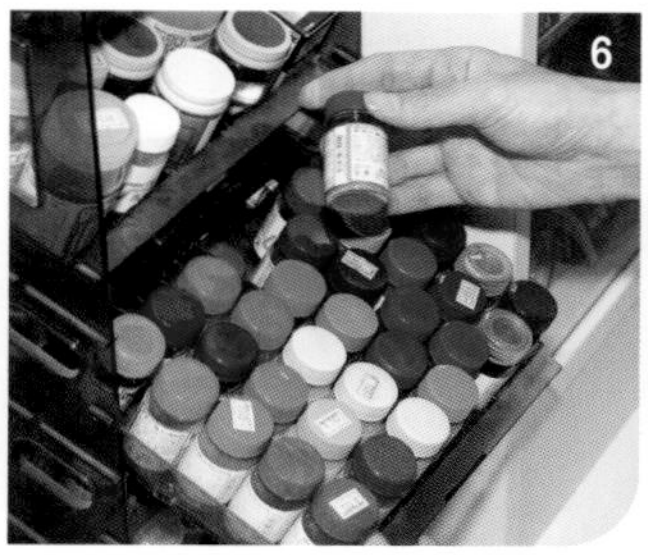

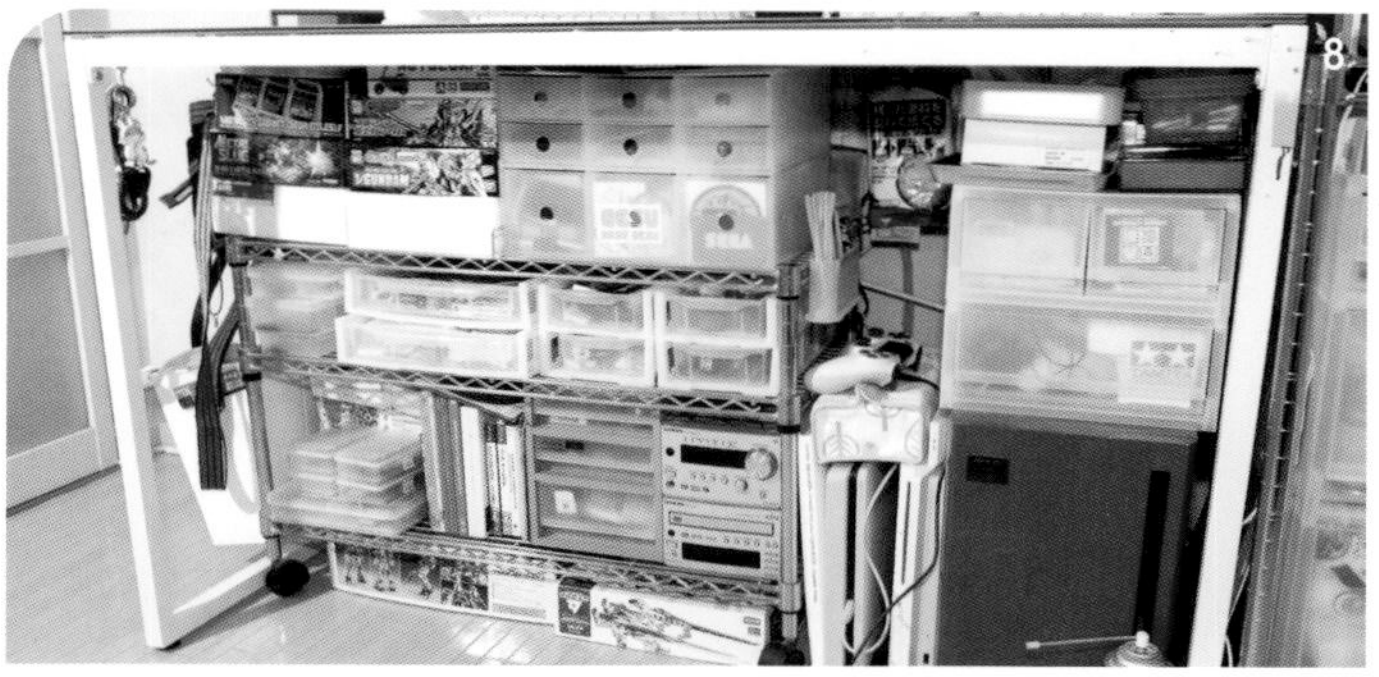

1PCモニター前の作業場は常に整頓している。2ネロブースの上には塗料や塗装時の持ち手などが集められている。3全面鉄板のネロブースに磁石付きフックで工具や両面テープを吊り下げて整理整頓。頻繁に使う工具は右手側に集中配置 4机の真うしろには自身が塗装した作品や資料として購入したフィギュア、完成品トイなどがところせましとひしめきあっている。5エアブラシは、GSIクレオス プロコンBOY WA 0.2、ウェーブ スーパーエアブラシ0.3、クレオス プロコンBOY WA トリガータイプ 0.5を使い分けている。6机後ろにはガイアノーツ の塗料を収納している。7溶剤などを拭き取ったゴミは蓋付きのゴミ箱に捨てている。8机の下には普段あまり使わないものや音楽再生用のコンポ、サブ・ウーファー、PS4などのゲーム機がギュギュッと押し込められている。四角い入れ物に固めておくことでものがスッキリ片付いている

Room Spec

- 場所：神奈川県
- 住居形態：マンション（3LK）
- 築年数：10年ほど
- 作業部屋の広さ：4畳ほどの一室

模型ミニマリストに聞く散らかさない秘訣とは

全国300万人のプラモデルファンの皆さんこんにちは。皆さまにご好評の『モデリングルームスタイルブック』(大日本絵画／刊)ですが、恐縮ながら私とびぶために白羽の矢が立つこととなりました。普段はガレージキットの製作をメインとしている自分ですが、製作環境に関しては当然まわりのモデラーたちと同じです。模型歴だけはとりあえず長いので、少しでも参考になればと思います。

住まいは賃貸アパートの間取り3DKのうち1部屋を自室兼アトリエ(といいたい)にしています。我が家の基本コンセプトに「物は置かない」があり、とくに床への「積み」は即懲罰房送り(編注／ようは奥さまに叱られる)となりますので、極力物の配置を控えた所、家に遊びに来た人のほとんどが入室後「も、物が……ない……」と立ち尽くす仕様になっています。

さて肝心の製作スペースですが、基本工作や組み立てを行なう際の、幅160cmのガラス製デスクに入居時テキトーに買ったオフィスチェア、塗装用のネロブースのふたつを軸とした環境です。前述のとおりデスクはガラス製ですので、塗料をこぼしても安心ですが、塗料瓶を置くと「ガチャン!」とうるさかったりもします。

あまりものは置かず、右前方へ配置しているコの字型のキーボードトレイのなかに、無印良品で買った小物用トレーを重ねて配置。ナイフ・ピンバイスなどの基本工具類、エナメル系塗料、ヤスリ類、とセクションを分けて使用時は適宜引き出して使う形式としています。右手側のネロブース側面には、接着剤やデカールセッターなど瓶タイプのものと、ノミやタガネなどの長物を斜めタイプのペン立てに置き、メインに使用するものは最小限の動きで手に届く距離に収まるよう配置しています。足元には3段のメタルラックがあり、それぞれに大・中・小のストッカーを配置。二軍の工具や予備のマスキングテープなどを収納しています。「いつも必要なもの以外」をしまっているカンジですね。使用頻度の低い道具はとにかく片付けることが整理整頓の秘訣です。

塗装は60×60cmのメタルラックに置いたネロブースで行ないます。ネロブース創成期にがっとねろ氏を召喚して設置してもらったカスタム機。いまでは珍しいファンが横置きのもので、伸びたダクトは窓に置いたスタイロフォームに差し込み、半分開けた窓から暖気した空気と共にガッと排気されるルートとなっています。ブース下には3段のオフィスチェストと縦長のストッカーを設置。

ネロブース内はツールウォッシュとエアブラシ用うすめ液など最低限のものを置くにとどめて、毎回の掃除をしやすくしています。コンプレッサーは縦置きができるという点と、振動がまったくなくアパート住まいにはうれしいArtfun!のTWINCUBEを使用しています。■

とびぶた

とびぶた／ 神奈川県在住。ガレージキットの複製で有名なRCベルグが発売するレジンキャストキットの彩色見本の製作を請け負うなど、本誌の新製品上コーナーを飾っていることもある彩色見本製作師

理想の模型製作机を作ってみよう！

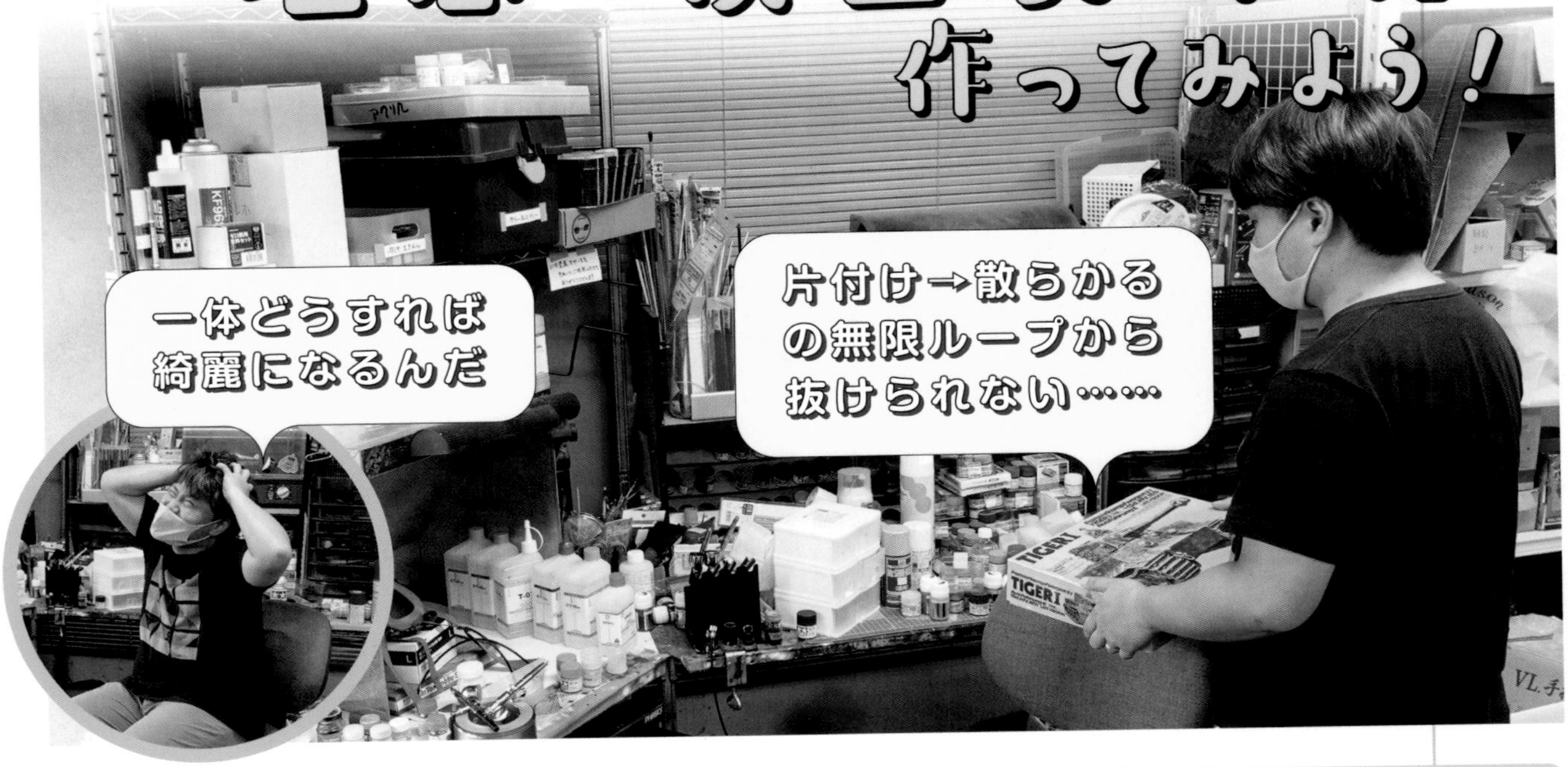

まずは自分の片付けスキルを知ろう！

収納アドバイザーに聞く片付けスキルと習慣化への道

やる気机の第一歩はまず整理整頓から！ そう考えた編集部は収納アドバイスのプロに解決策を相談。やる気机をキープするノウハウや、収納スペースを構築する際に心がけるべきポイントを見ていこう！

STEP: 1

片付けタイプを知る

●まずは自分がどのような「片づけタイプ」か知ろう。自分がどのように片付けが苦手（または得意）かを知ることで対策が練りやすい。ちなみに編集㊦はBタイプだ。

チェックリスト①（青矢印）

1. モノを床に置いている	はい	いいえ
2. 収納スペースにもう余裕がない	はい	いいえ
3. 新しいモノや流行りモノが好きでつい買ってしまう	はい	いいえ
4. 捨てるつもりが何カ月も経っているモノがある	はい	いいえ
5. 新しく買い替えても、古いモノも取っておく	はい	いいえ
6. バーゲンなどでは何か買わないと気が済まなくなる	はい	いいえ
7. タダのモノはとりあえず頂く	はい	いいえ
8. サイズが合わない服でも捨てられない	はい	いいえ
9. ストック品は多めにないと安心できない	はい	いいえ
10. 取っておくかどうか迷ったとき、とりあえず取っておく	はい	いいえ

チェックリスト②（赤矢印）

1. テーブルの上にモノが出ていることが多い	はい	いいえ
2. 収納は広ければ広いほど良いと思っている	はい	いいえ
3. 何が入っているか分からないケースがある	はい	いいえ
4. モノを無くしなり探し物をよくする	はい	いいえ
5. 洗濯ものをすぐにたためない	はい	いいえ
6. 椅子やソファに出しっぱなしの服やカバンがよくある	はい	いいえ
7. 使うモノは外に出ていた方が使いやすい	はい	いいえ
8. 置く場所が決まっていないモノが多い	はい	いいえ
9. 賞味期限が過ぎている食材が結構ある	はい	いいえ
10. 家具は使いやすさよりデザインで選ぶことが多い	はい	いいえ

▼「いいえ」の数をそれぞれ集計して、左下の表に当てはめてみよう!

①	②
個	個

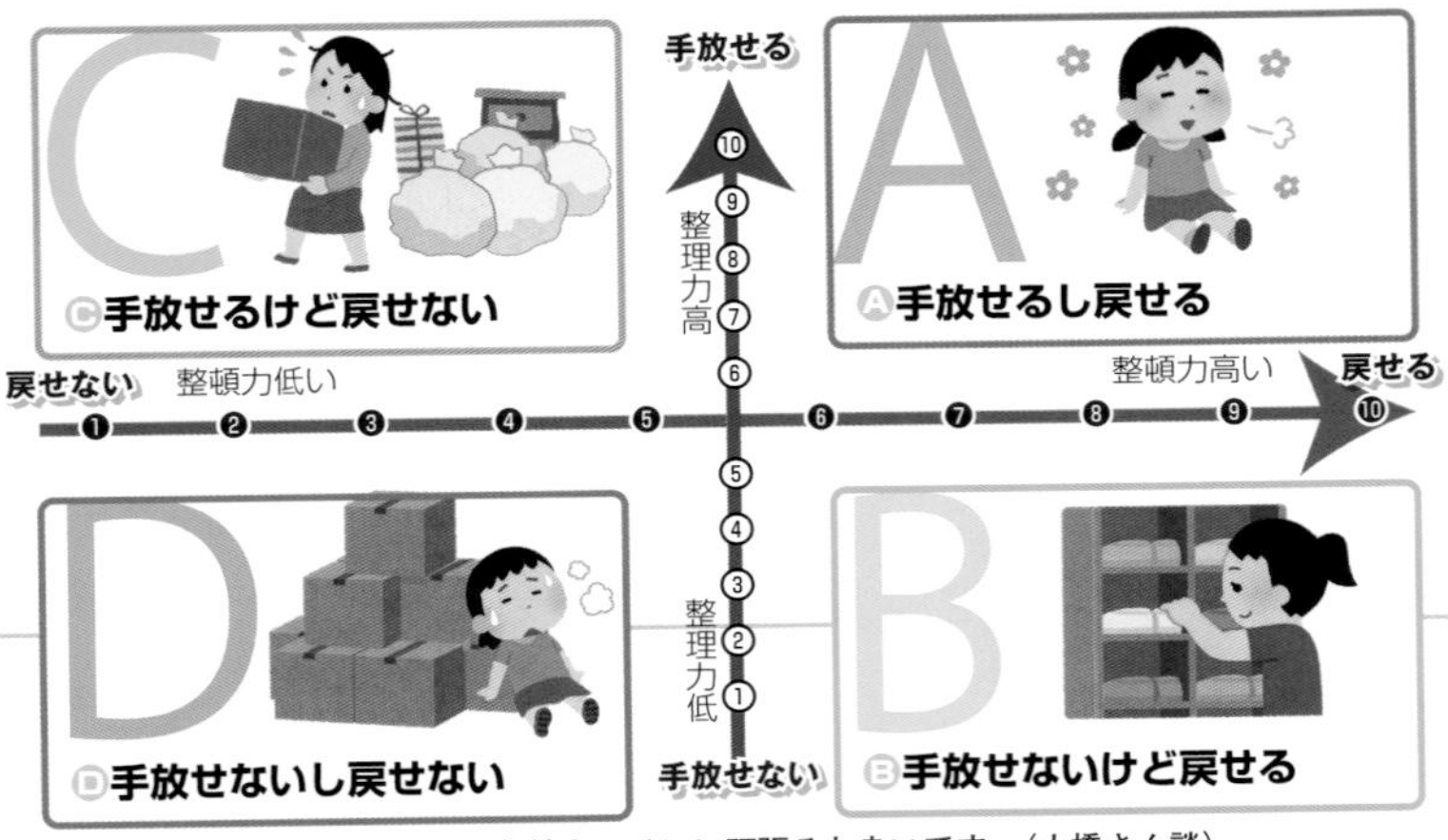

▲BDは整理　CDは収納をメインに頑張ると良いです。（大橋さん談）

アドバイスいただくのはこの人

株式会社おうちデトックス代表
収納インテリアアドバイザー
大橋わか
Waka OHASHI

●「収納のチカラで叶えるインテリア」をコンセプトに個人宅の片付けとインテリアコーディネートを行う。雑誌に載るほどではなくても、なんかいい感じなお部屋作りを得意とするプロフェッショナル集団。年間700件の実績がある。メディア実績も多数。

使いやすく戻しやすい ポイントス5選！

・グルーピング

●ごちゃごちゃに収納するのではなく種類ごとに分類しよう。塗料でも○○用など分類し、元あった場所に戻すようにする。

・使用頻度別

●よく使うものは手前、使わないものは奥、というように頻度で分類する。

・ラベリング

●「何を入っている場所なのか」外から明確になるようにラベリングしよう。

・アクション数

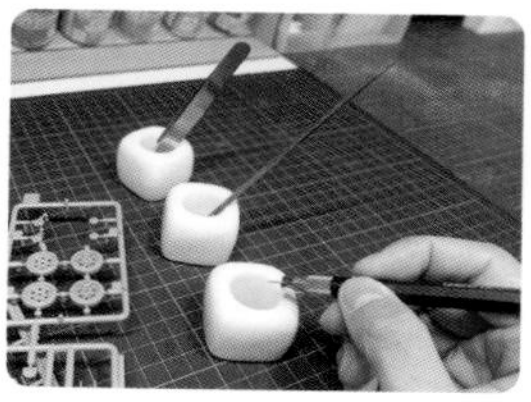

●取りだすとき、戻すときのアクション数を減らすと収納が習慣化しやすい。

・動線の効率化

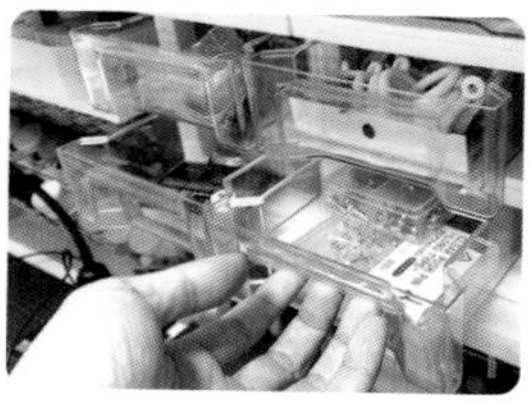

●使用する場所と片付ける場所が遠いと片付けもおっくうになる。

STEP:2

片付けやすいシステムを作る

●「もはや片付けが面倒になってきている」ことが片付けできない原因のひとつ。そこで片付けが簡単なシステムを構築することで、綺麗な状態を維持できるようにしよう！

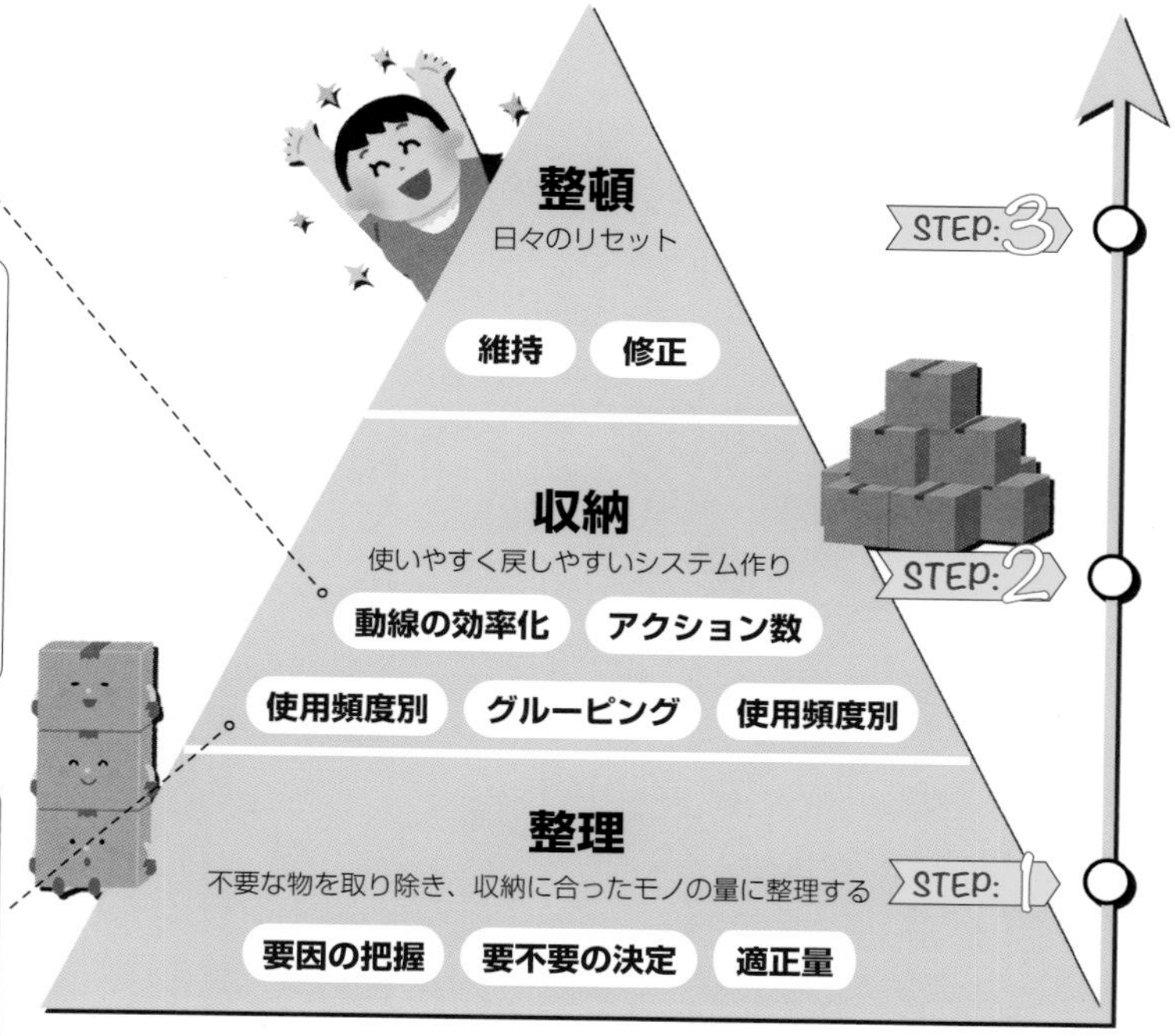

STEP:3

片付けを習慣化する

●ダイエットも運動やカロリー制限を習慣化しなければ続かない。使いやすくやる気の出る作業机を維持するためには、片付けを習慣化できるように工夫しよう！

やる気＝習慣化！

こんな状態に戻らないように！

●1度作業机を改造しても、実際に運用してみると使いにくい部分があるかもしれない。先述したポイントを意識しながら修正（収納）を繰り返し、片づけられた状態を維持しやすい環境づくりをすることも大事である。やる気をそそる机づくりには絶え間ない改良が必要なのだ。キレイを維持する習慣がつけば、おのずとデスクに座ることも習慣化するかもしれない。

◎使いやすい収納の極意！◎

ツールやマテリアル、在庫の収納は使いやすさと戻しやすさがコツ

工作、塗装、ウェザリングと多くの工程を経て完成する模型。収納は出しやすさも重要だが、戻しやすい環境をつくることでキレイなやる気机を維持しやすくなる。

参考　机／斎藤マサヤ

戻しやすい収納で
作業効率もUP！

グルーピング

●モノを同じ引き出しにまとめて入れていると取り出しにくいだけでなく、ごちゃごちゃしてやる気をそがれてしまう。種類や用途で分類するとしまいやすさもUPだ。

ツール

▲やすり、ピンバイスなど種類ごとに分類することで探す手間を省き、しまいやすくすることができる。ツールを分けておくことが、製作スピードのアップにもつながってくるのだ。

パーツ

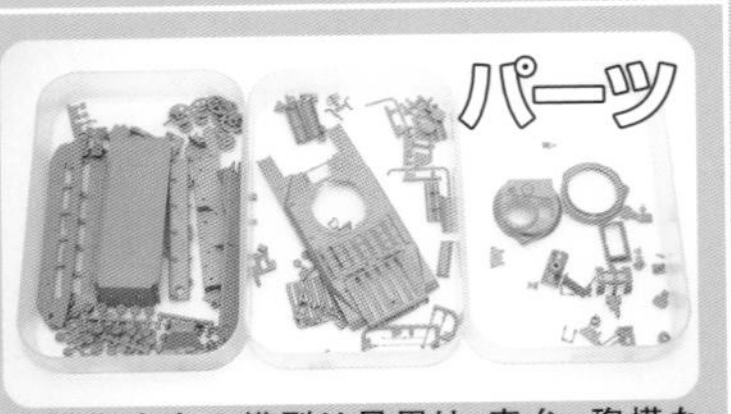

▲製作途中の模型は足周り、車台、砲塔などの部位ごとに分けてしまおう。組み立て効率も上がる。

素材

▲ダイオラマの草、土、水素材やパーツなども用途ごとに分類。戦線ごとに分けてもおもしろいかもしれない。

プロモデラーの収納工夫が満載の2冊！

モデラーズルームスタイルブック
発売中
税込3520円
大日本絵画／刊
●姉妹誌「モデルグラフィックス」で活躍するモデラーのノウハウが詰まった本。

モデラーズルームスタイルブック2
発売中
税込3520円
大日本絵画／刊
●モデラーズルームスタイルブック第2弾。ライフスタイル別にまとめられており、4スタイル25人の部屋を掲載。

使用頻度別

●よく使うものは取り出しやすく、しまいやすいところに設置して収納スペースを有効活用しよう。

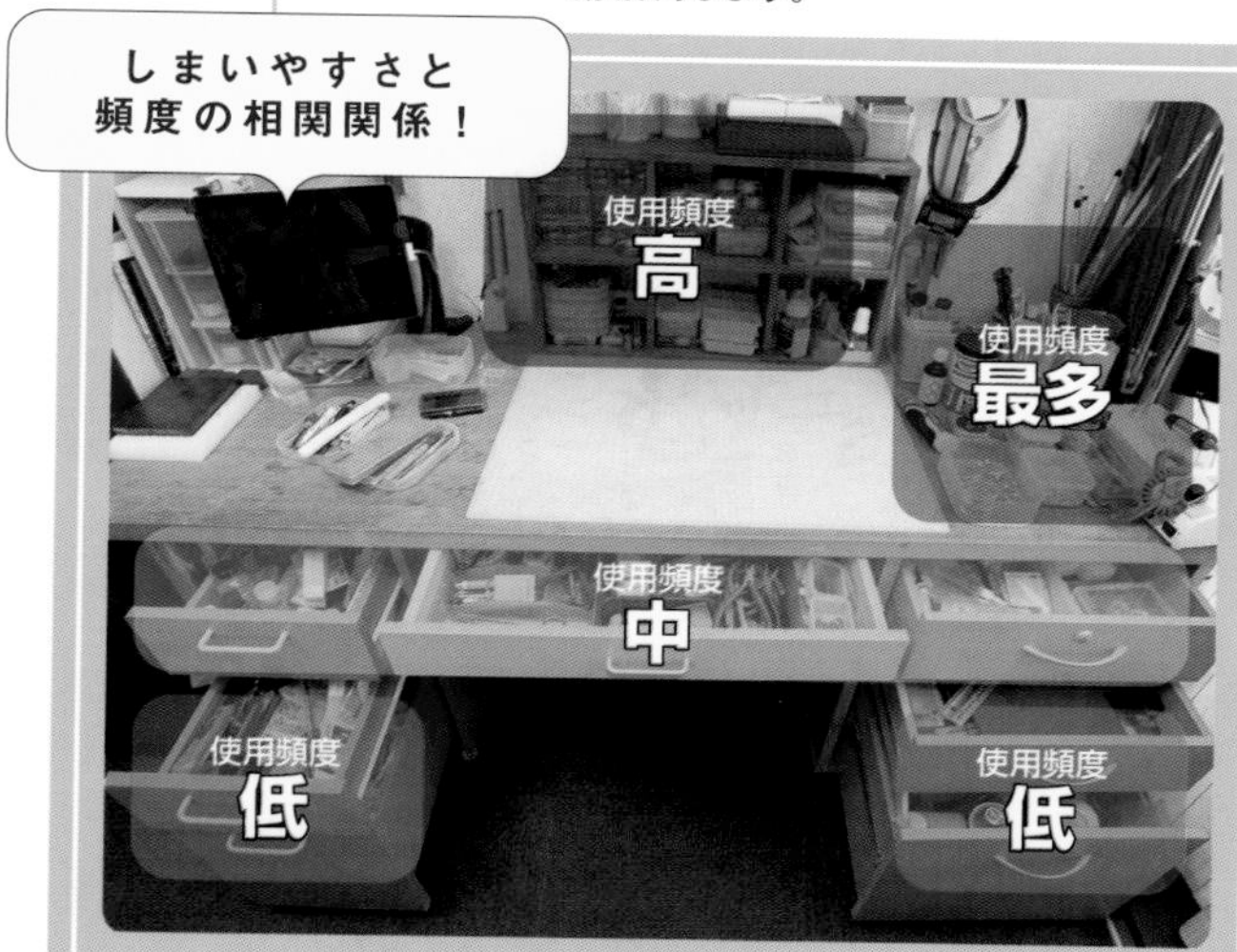

▲よく使うニッパーややすりは手に取りやすく、簡単にしまえる場所に置いておく。使用頻度の低いツールや予備のツールなどは、奥まった場所や少し離れた場所に置いておくと収納スペースを有効的に使うことができ、作業効率もよくなる。

ラベリング

●外から何が入っているのか分からなければ、スムーズに収納もできない。分かるようにラベリングしよう。

▲グルーピングして収納しているならば、何が入っているのかも明確になっているはず。外から見て何が入っているのかも分かれば、出したものを戻すべき場所も見当が付きやすいだろう。

アクション数

●片付けを習慣化するコツは「アクション数を減らす」こと。片付けを簡単にしてやる気机をキープしよう!

▲せっかく集めた道具も、取り出す手間がかかると散らかり、モチベーションの低下につながる。有孔ボードやマグネットシートを活用してワンアクションで片付けられるようにしておくと、机にツールが散乱することも無くなる。使用頻度の高いものではとくに有効的だ。

動線の効率化

●さらに片付けやすい環境を構築するには動線の工夫が効果的。収納へのスムーズな道作りも大切な項目。

◀目線より上には箱にまとめたものを置く。使用する際は箱ごと降ろして中身を取り出す。

◀引き出しは上から見下ろす必要があるので、目線よりも下に置く。

▲引き出しを目線よりも上に設置すると、中身を出す際にいちいち背伸びしたり立ち上がったりしなければいけない。なので目線より上には箱モノを置くようにすると片づけ効率UP。

⊘HOW TO BUILD 模型部屋⊘

ここまでのことを踏まえて、実際に「やる気机」を構築する

片づけの基本やコツが理解できたところで、今度は実際に効率のいい作業環境を構築してみよう。編集部の作業机は「やる気机」に変身できるのか!?

全てを撤去し、新しい床材を貼り終えた状態。可能ならば一旦リセットして、どのくらいスペースが利用できるのか確認しよう。

STEP: 1

まずは部屋の物量を把握しよう

●机改装の第一歩は、作業スペースにあるモノの量を把握すること。すべての物を取り出して広げて、不要なものを分けたり、ジャンルごとにグルーピングする作業をこの段階で行なう。

塗料

●塗料は専用の用途も多く増えがち。ちゃんと管理してないと同じ色が何本も……。

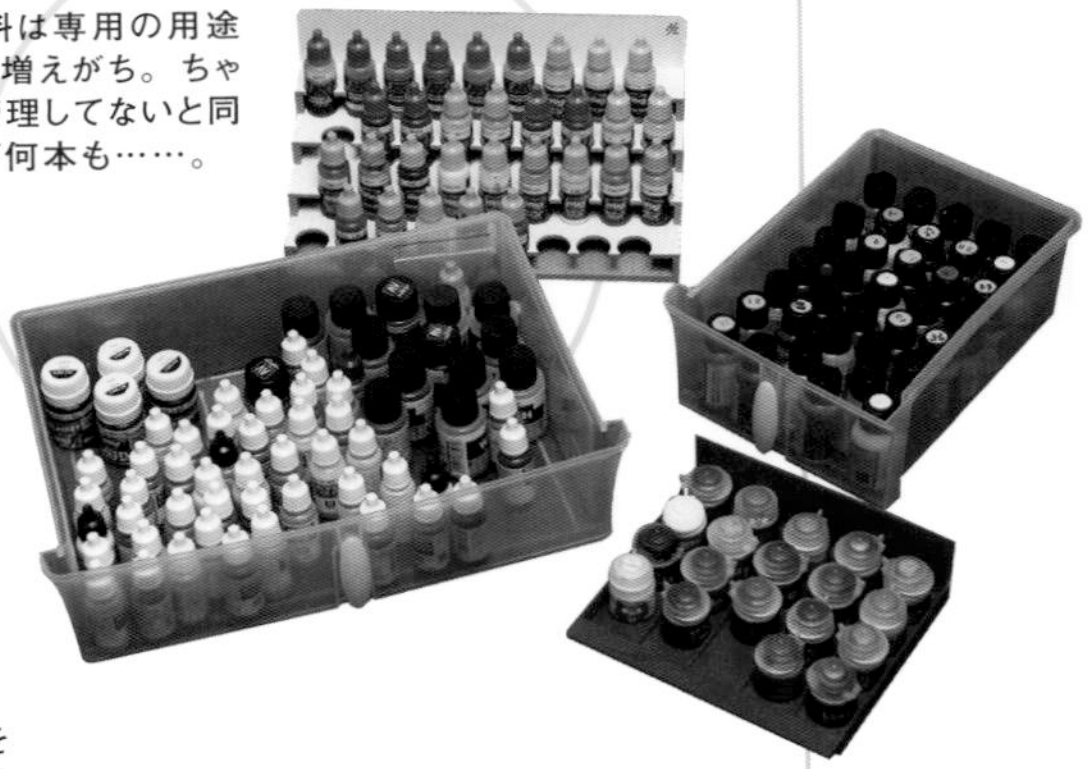

完成品＆在庫

●完成品や在庫は場所をとる。ただ模型を趣味とする以上は逃れられない。諦めも必要か……?

ツール

●ツール類は同じものを買いがち。全部使いこなせているかはアヤシイこともある。

素材

●情景派モデラーは欠かせないスタイロフォームなどの素材。使用頻度は低い上に、かさばって収納に困る。

▼実際に広げてみるとどのジャンルのモノが多いか分かってくる。不必要なものの見分けもつきやすい。

STEP: 2

増設プランを練る

置いてあったものがなくなったところで、次はどのように収納を充実させるか考えよう。「目線より下に引き出し」「目線より上は棚」というのを踏襲しながら、今回編集部では下図のように増設プランを設定した。あらかじめプランを決めておくことで購入物の選定もスムーズになる。

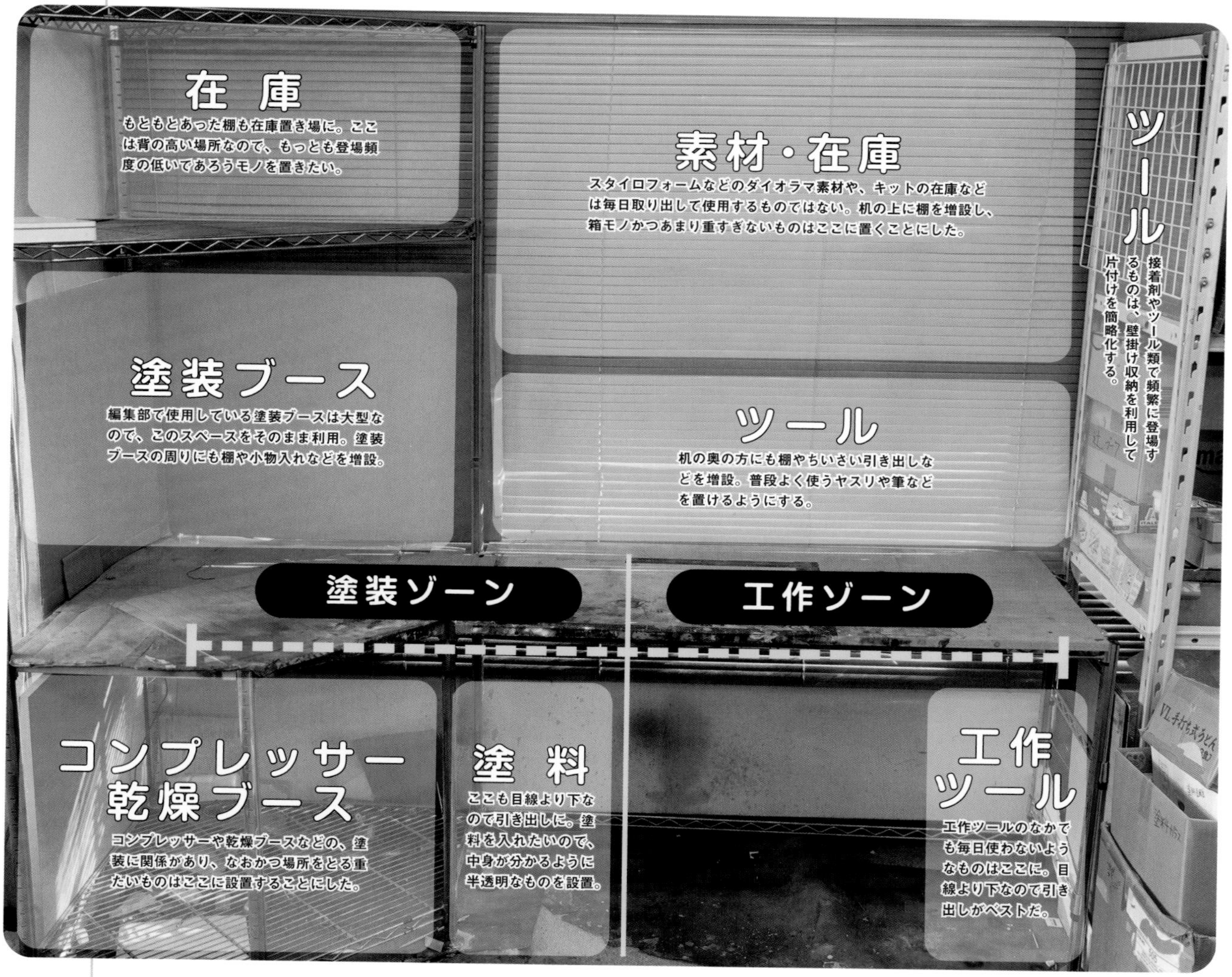

▲本誌2019年10月号は、本誌で活躍する国内外のモデラーの作業部屋を網羅した特集。明日試したくなるアイデアが満載されている一冊だ。

参考にしたイラストはこれ!

▶本誌2019年10月号で登場した、アドバイザー吉岡和哉が描いた理想的な作業机の一例。くまなくスペースが利用でき、取り出しやすさ、片付けやすさを考慮した配置だ。今回はこれを参考に増設プランを練った。

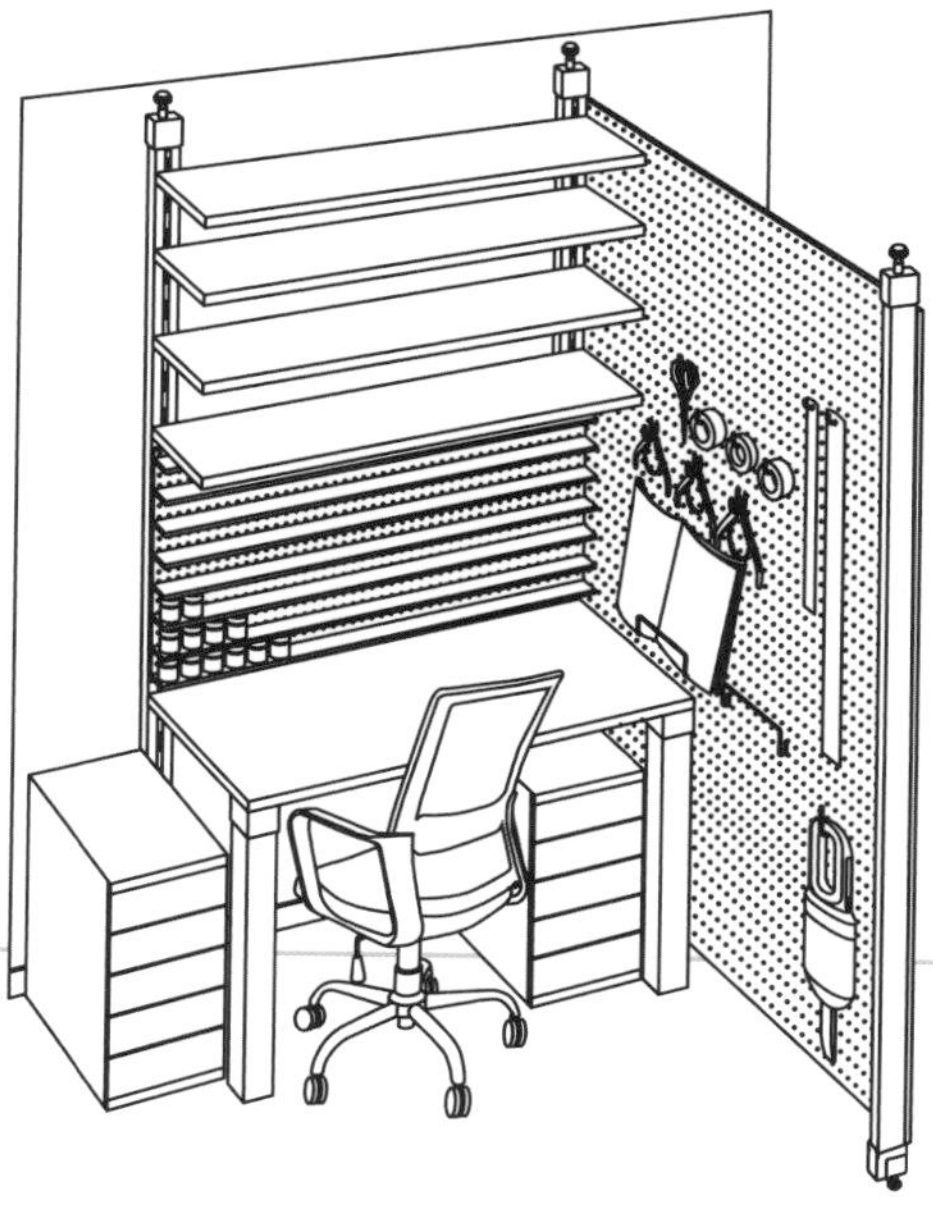

STEP:3

小物の配置と環境整理

頑張って棚や引き出しをそろえてきたので収納スペースは十二分！　だが効率よく入れるにはすこし工夫が必要だ。さらに快適な作業環境にはいい椅子、いい照明が必須条件。ここまで来たら、ずっと座っていたくなる作業机はもうすぐそこだ！

使用頻度の低いものやダイオラマ素材は在庫は棚上のボックス内へ

▲机上方の棚は、取り出すのにイチイチ立ち上がるような場所。草木などのダイオラマ素材や軽めの紙粘土、スタイロフォームの切れ端など、毎日取り出さないようなものは増設した棚に置いておこう。うすめ液などの在庫もココ。

ツールは機能的に収納すべし！

▲便利グッズの巣窟「100円均一ショップ」。もちろん収納グッズも豊富に取り扱われている。100円のグッズを有効活用することで、作業効率も片づけ効率も格段にアップするのだ！

最強の作品は最強の椅子から！

▶座り心地は「やる気机」で重要な要素。ジャンルは違えど座りっぱなしの趣味、ゲーム用に設計されたゲーミングチェア。コストパフォーマンスが良好な優秀選手だ。今回はゲーミングブランド「コンティークス」の「アイガー」をチョイス。

天井近くまで
有効活用だ！

大きなスタイロフォームやダイオラマのベースになる板材。大きくてかさばるので最上段において、作業の邪魔にならないようにする。

かさばる板材やスタイロフォームは棚の最上段に

▲情景派モデラーにとって、ベース素材の収納は常に付きまとう課題。上段に広い棚を確保し、そこに寝かせてしまおう。横に置くことで曲がる心配も減る。地震による落下対策は必須。

最上段の棚にはスペースの許す限りキットを積む!

▶大量の在庫は許される限り最上段に詰め込もう! 最上段がキミだけのプラモ屋さんに変わるとき、最高のやる気机はもう手に入っている。

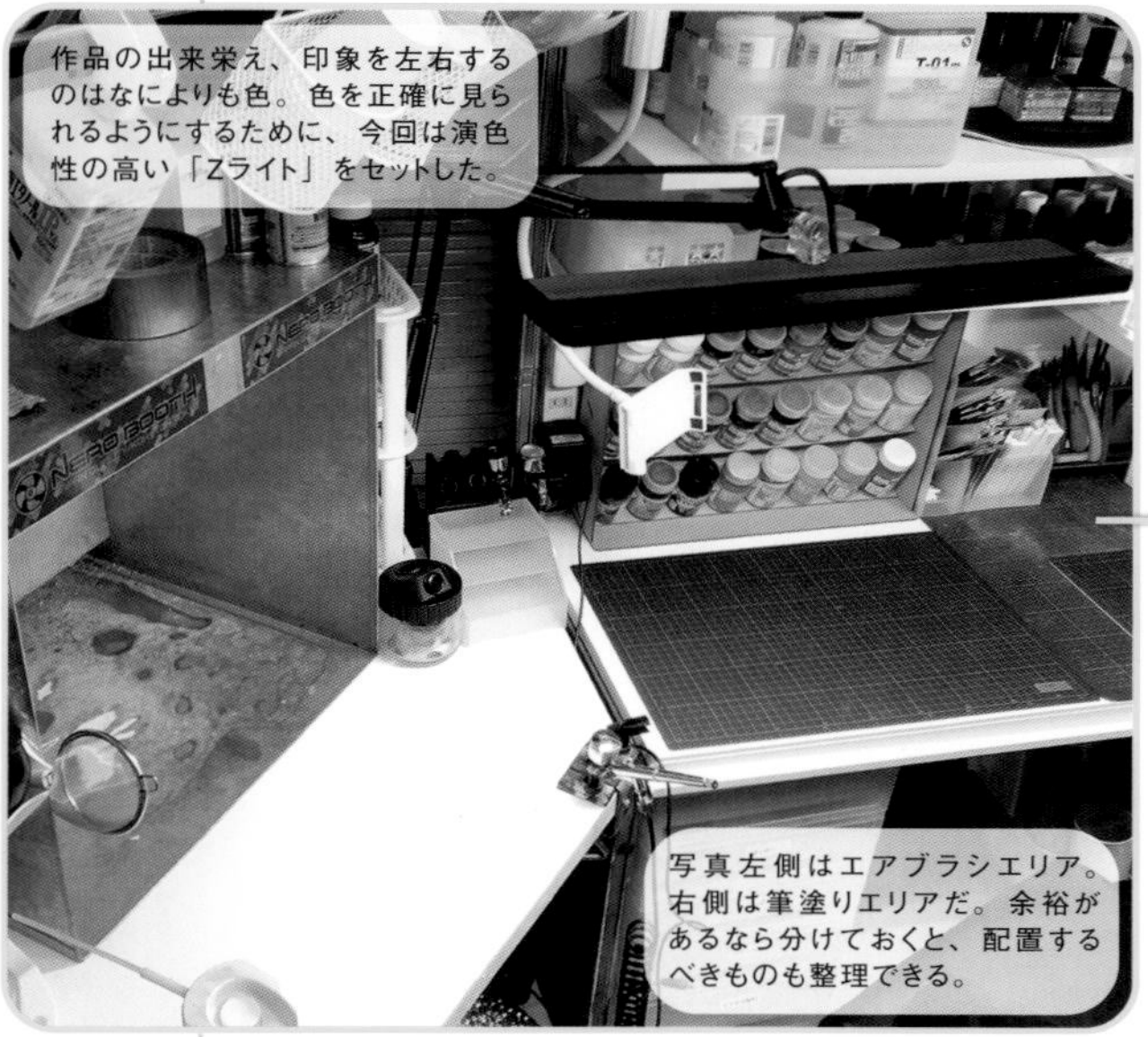

作品の出来栄え、印象を左右するのはなによりも色。色を正確に見られるようにするために、今回は演色性の高い「Zライト」をセットした。

写真左側はエアブラシエリア。右側は筆塗りエリアだ。余裕があるなら分けておくと、配置するべきものも整理できる。

左側に塗装ブースとペイントコーナーを配置 演色性の高いライトの設置も効果的

▲エアブラシ塗装と筆塗りを行き来することも多い模型。エアブラシエリアと筆塗りエリアを分け、シームレスに移れるようにした。塗装エリアには色合いが正確にわかるように、演色性が高いライトを設置しよう。

コンプレッサーや乾燥ブースは場所も取るので足元に設置。重量物はなるべく下に集めるようにすると、思わぬ事故が減る。

重い機材はできるだけ足元に足を入れるスペースも確保

▲塗装環境の構築で悩むのがコンプレッサーなどの大きくて重い器材の配置。今回は足元に設置することで机上の空間を確保。変な姿勢で塗装することのないように足を入れるスペースを考慮して配置した。

独身男ふたりが、一軒家でやりたい放題！

Homely Style

Koichi Inai & Chario

▲こちらはちゃりおさんの作業机。頻繁に使う道具類は机に出しっぱなしにし、ペン立てなどを使って整頓している

Modeler's Room 3

Koichi Inai & Chario

Homely Style

モデラーの男ふたりが一軒家に同居するとどうなる?
こんな社会実験みたいなことをしているのが稲井蛟一さんと
ちゃりおさんのおふたりだ。果たしてその結果は
どうなったのでしょうか?　興味深々です。

▲こちらは稲井さんの作業机。比較的整頓されているが、それでもペン立てなどを活用。奥のタブレットは作業中に動画を流しておくためのツールだ

▲別部屋は完全に模型在庫部屋。メタルラックをつかってキレイに保管している

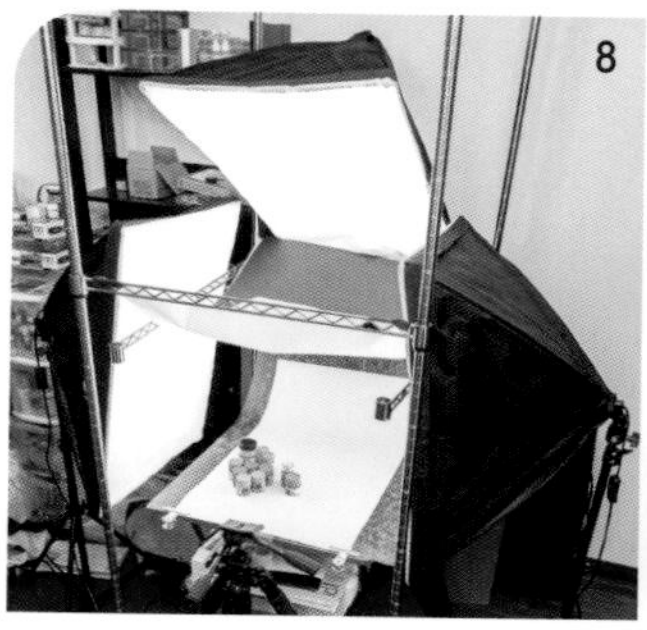

Inai & Chario's Room

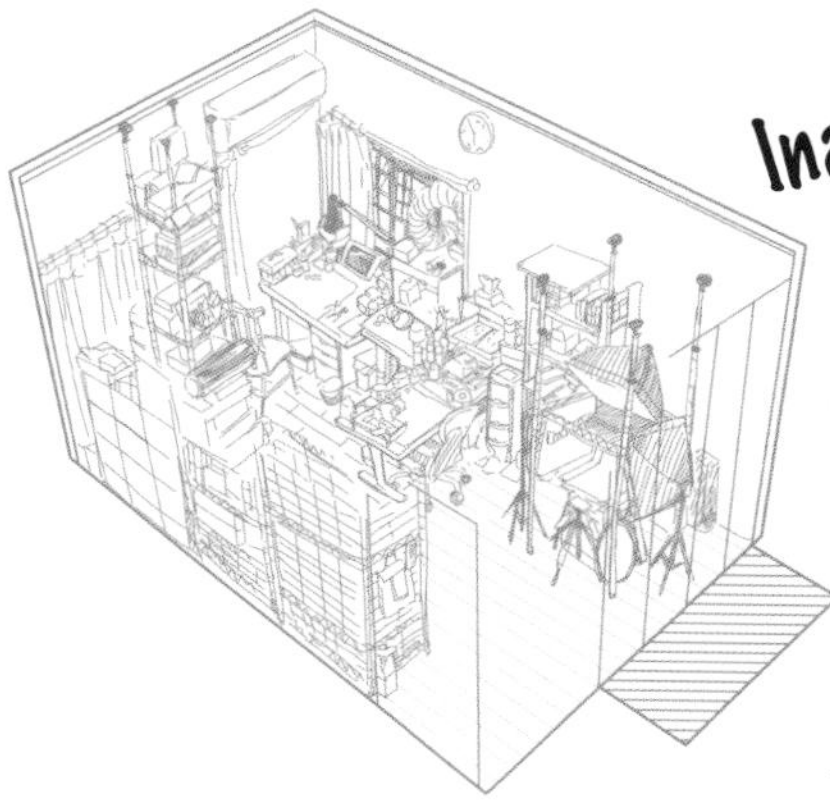

Room Spec

- 場所：千葉県
- 住居形態：戸建て
- 築年数：26年
- 作業部屋の広さ：7.5畳
- 住人構成：
  稲井蛟一、ちゃりお

1コンプレッサーはウェーブ製の218がメインでサブ機も用意している。2塗装ブースは互換ブースを使用。3塗料はラベリングして共同管理。4作業部屋にも在庫キットが山のように積まれている。5塗装ブースの下のデッドスペースには収納ケースを使って使用頻度の低い材料やパーツを収納している。6作業のお供、タブレットは音楽を流したり、スタンドは組み立て説明書を立てかけたりと便利に使っている。7稲井さんの道具も鉛筆立てにツール類をまとめて手の届く位置にセットしている。8常設している塗装ブースはバンクライトを3つ組み合わせた本格的なもの

塗装ブースは共用です。

実家の関西から関東、前居のアパートに移り住んできて6年ほど経った'20年初夏。緊急事態宣言によりテレワークがはじまりました。そうすると生活音で隣と階下の住人の生活パターンもなんとなく把握できるようになり、結果「仕事が夜型すぎて、隣と下の住人に迷惑かけていやしないか?」ということが気になるようになりました。もともと仕事自体がわりと夜型寄りなため、テレワーク解除後も気になったことは払拭しきれません。そして半年後にはうっかり中古の戸建てを買ってしまいました(ローンを組んで定年退職前後あたりに払いきれる限界年齢が近かったことも要因です)。前居は和室中心、かつ賃貸なので模型製作環境もかなり制約が大きかったのですが、新居は洋室多めなので棚もガンガン置けるし、なにより持ち家一戸建て。床面積も一気に3倍になったのでもうやりたい放題です。

とりあえず生活空間は1階に集約することとして、模型関連はすべて2階に押し込むこととしました。2階には和7・5畳、洋7・5帖、洋6帖の3部屋があり、最初は洋7・5帖を模型置き場、洋6帖を作業部屋にするつもりでいました。そのほうが排気方向的に絶対にご近所に迷惑がかからないのですが、前住人の残置エアコンが7・5帖にだけ付いており、移設工事するのもナニなので7・5帖を模型製作部屋とし、一部模型を製作部屋に置く方向で決定しました。

さて家を構えるならば多少は家具も揃えなきゃ、ということでいろいろ買っていった結果、アパート時代は家具に本棚にとなにかと愛用していたカラーボックス類がいくつか余りました。せっかくなのでこれは模型部屋で活用することにし、プラスチックケースと組み合わせることで大容量の塗料収納スペースを確保。アパート時代はエアコンが唯一ある部屋と塗装ブースが置ける部屋が別だったこともあって塗料、工具も2箇所それぞれに同じものを置いていたりして非効率極まりなかったのですが、ようやっと一箇所に集約できました。集約されることでスペース効率もよくなり、念願の撮影ブース常設も可能になりました。ただ、まだ少しずつ整頓している段階なので、有効に利用しきれていない点は多いです。

さて、察しのいい方ならここまで読んで2階の7・5畳和室の利用方法が書かれていないことにお気づきかもしれません。いくら模型まみれで荷物が多いとはいえ独身男一人ではさすがに完全に持て余し用途が決まっていなかったので、さてどうしようかと思っていたところに、友人のちゃりお氏が転居を考えている様子だったので「うちに住み着かないか」と声をかけこの和室に住んでもらうことになりました。ふたりとも模型好きなので道具や材料を融通したり、情報交換したり、双方生活費負担を減らせたりといろいろWin-Winな関係ですね。しかし、今後どちらか結婚する、みたいな話になったらどうなっちゃうんでしょうね?

(稲井蛟一)■

稲井蛟一&ちゃりお

両者模型開始は年齢一桁、「食事代わりに模型を食べている」と噂される系モデラー。飛行機模型中心にいろいろ手を出すマルチジャンルモデラーでもある

シンプルイズベスト
机は常に広く使えるように

Homely Style

Modeler's Room 3

Yota Tokunaga

Modeler's Room 3

Yota Tokunaga

Homely Style

飛行機模型を専門にしている徳永さん。切る、貼る、塗るの工程ごとに机を片づけることでつねに机の上をスッキリさせるのがルーチンになっているという

仕切りケースを多用して 机の上は常にクリーン

▼カインズホームのB4 マルチチェスト深6段に塗料やマスキングテープ、フィニッシュシートなどのマテリアルを収納している。

中学校に上がる際に親戚の叔父様からプラモデルの塗装ツール一式と使い切れないほどの塗料、大量の積みプラを頂いたのがすべての始まりでした。当時は塗装に関する知識もあまり無く、ベランダなどで塗装出来ればと軽い気持ちで頂いたのですが、かなりの物量でベランダでの塗装を早々に諦め、模型部屋の構築を始めました。幸いにして以前父と母が使用していた部屋を譲り受けて、新たに勉強部屋兼模型部屋として、以来この部屋で模型製作を行なっています。以前はPCや大型のラジコンヘリ、多数の積みプラなど、様々な物が無造作に置かれていましたが、現在は別室にて管理しているため模型製作専用の部屋になっております。

部屋自体はそこそこ広めなのですが、部屋が2階と言うこともあって家具は最低限度に、机も運び出しが面倒なので以前から使用している学習用机を改造して模型用の作業机として使用しています。また、机の上を全てカッティングマットで覆い、大型の模型の製作でも快適に作業できるようにしました。マットは裏表に印刷があるので2年に一度裏返して4年で交換しています。

模型製作というと、どうしてもツールで机の周りが散らかりがちとなると思います。そこで使用頻度に合わせて工作ツールをセリアの小分けパックで管理し、コンパクトな収納スペースの確保を確保しました。サンドペーパーは320-2000までをセリアで販売されている仕切りのついたパックで管理、スジボリツールも同様に用途ごとに分けてパックしています。使用後各パックを箱に収めて机の下で管理しています、机の上が常に綺麗になるのでなかなか気に入った収納方法です。このように収納することで机の上にツールが散乱することを

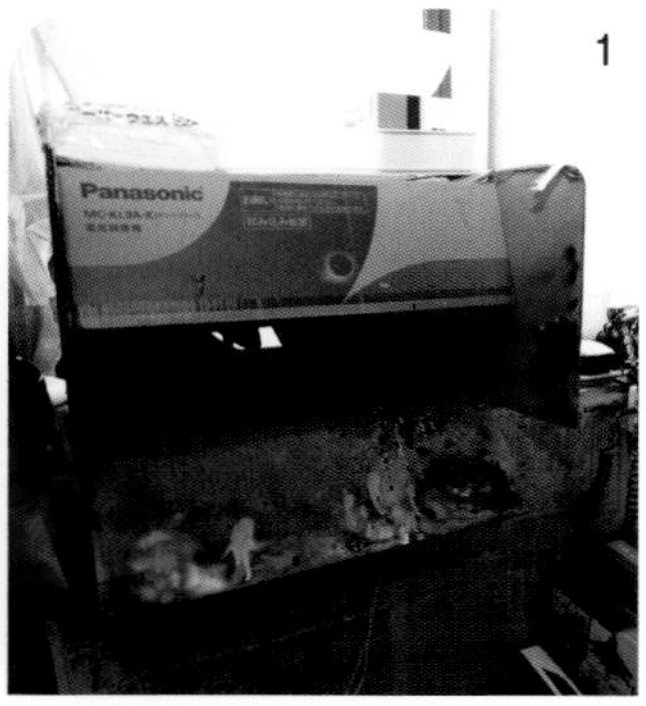

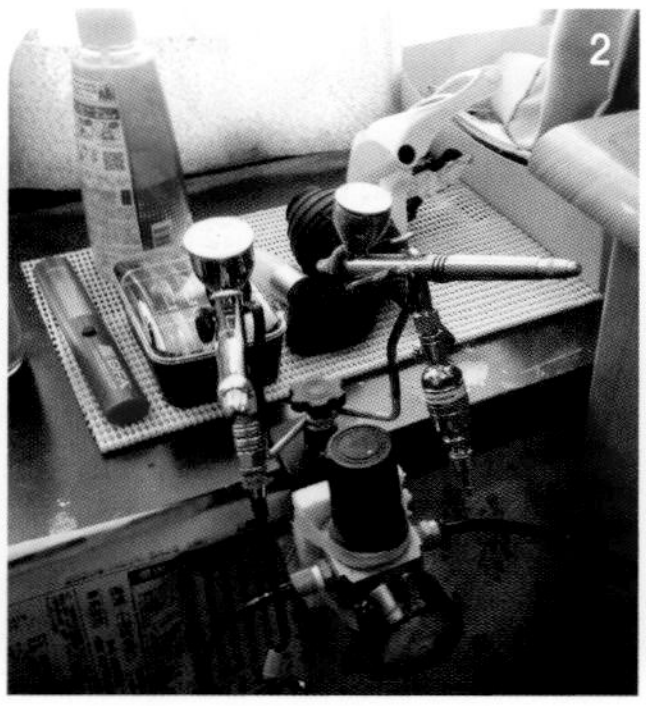

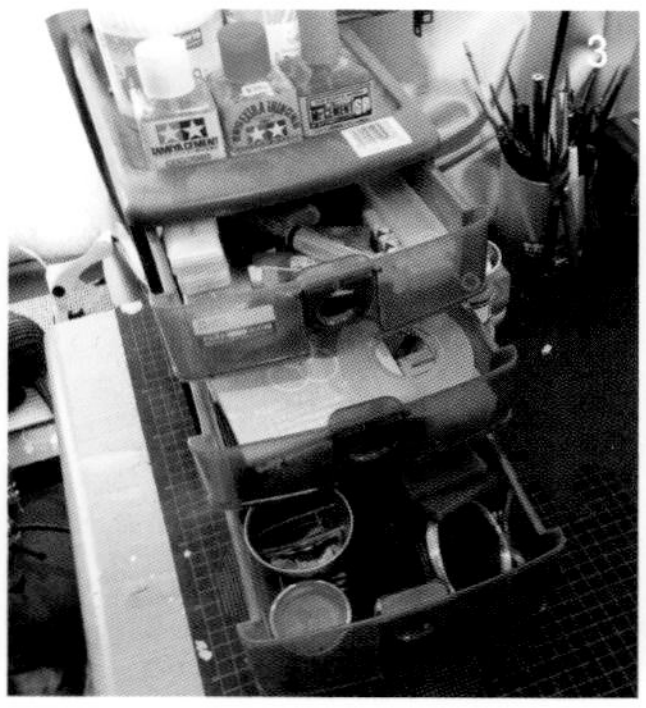

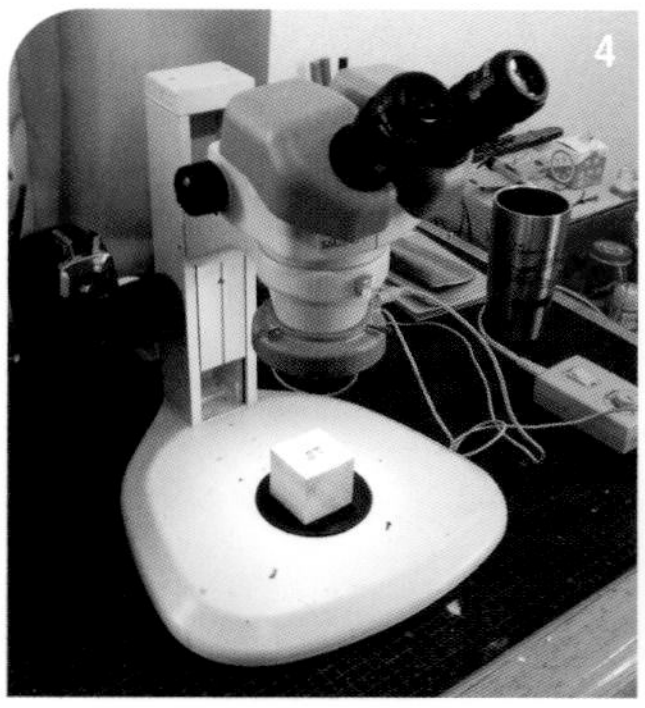

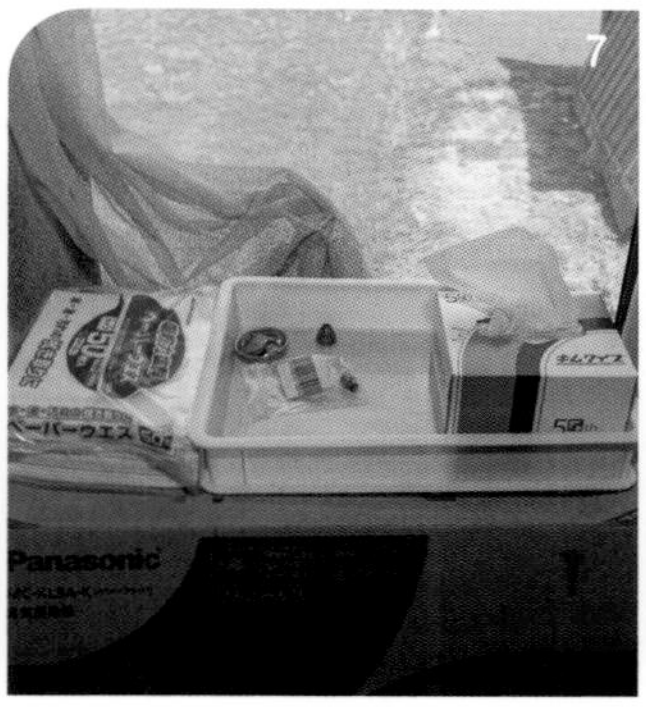

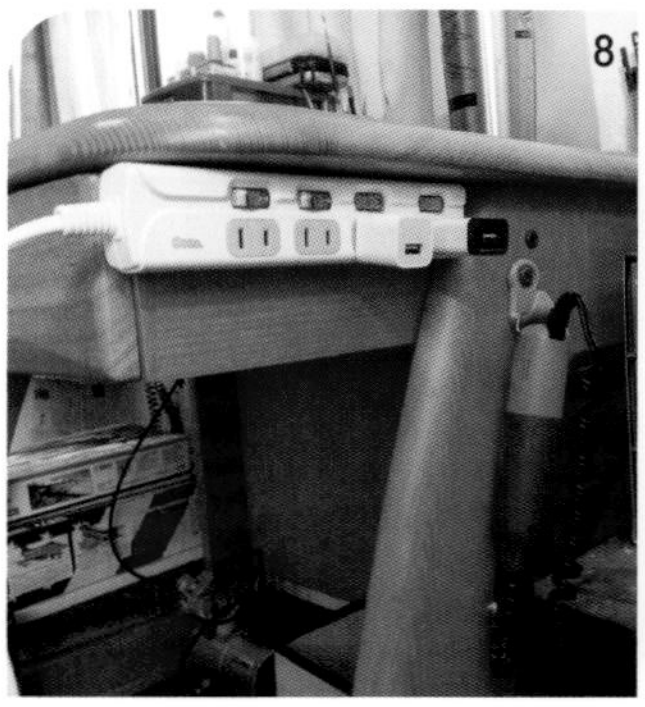

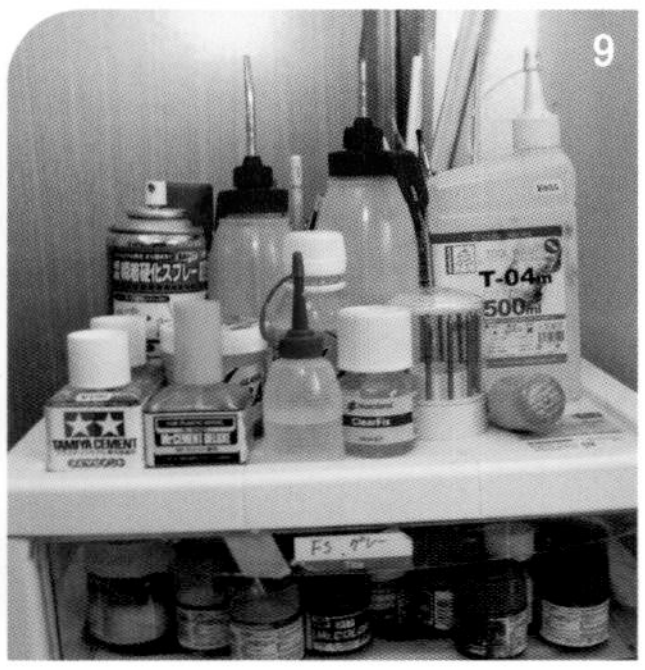

1塗装ブースは自作のものを使用している。 2エアブラシは二本使用している。塗装前の埃取りにダスターとブラシもここにおいている。 3卓上には最小限の使う道具類をいれて管理している。 4実体顕微鏡はコクピットまわりの塗り分けに使用している。 5よく使う工具や紙ヤスリなどは机の上に放置せず、仕切りケースで仕分けて収納ボックスに収め、机の下にしまっておく。 6コンプレッサーのエア圧は充分だが、頻繁に水を吹くため大型の水抜きを接続している。 7塗装ブースの上にはキムワイプなどのペーパーウエスが常備されている。 8机横にはコンセントを準備。モーターツールやUSB端末の電源とりに使っている。 9塗料類は書類ケースに系統ごとにわけて保管している。天面には各種接着剤や容器を移し替えた溶剤などを保管している。 10照明には部屋の電灯のほかフロアスタンドの電灯もつかっている。

A1のカッターマットで机の上面をカバーし作業面積を広く

Tokunaga's Room

Room Spec

- 場所：長野県飯山市
- 住居形態：一戸建て住宅
- 築年数：30年
- 作業部屋の間取り：10畳
- 家族構成：本人、父、母、妹の4人

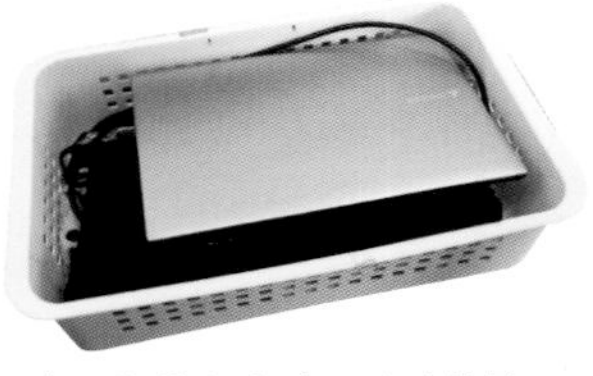

▲パソコンはノートパソコンを使用。使い終わるたびにしまう派

防止し、また紛失や複数買いを防止できます、慣れれば即座にツールを取り出せるので作業効率も上がるかもしれません。塗料はカインズホームで購入した多段のボックスで一括管理、色毎に分けてブースの横に配置しているため効率よく塗装を行なえます。ボックスに収納できない大型の瓶やサフ類はオイルを貯めておく容器内で管理しています。また、使用頻度の低い顕微鏡やリューターは机横のスペースで管理、使い終わったら毎回片付けています。以前は教科書やノートで埋め尽くされていたカラーボックスは中身を整理しそのまま使用、上段は模型の資料、中段はイラスト本やコンテ集、下段には今でも使用している教科書を格納しています。塗装ブース横に配置しているので資料本を見ながら塗装することも多いです。疲れた時にはイラスト本や原画、コンテ集で気分転換をしています。近年はフィギュアの原型にも興味が湧いて来たので、近々3Dプリンターを用いたデジタル原型や飛行機のアフターパーツの製作などにも挑戦してみたいですね。私の場合は幸いにして家族の理解もありここまで模型を続けることができました、理解のある家族には大変感謝しています。読者の皆様も良い模型ライフを！■

徳永陽太

徳永陽太（とくながようた）／大の飛行機好きで暇さえあれば空港へ向かいます。プラモ以外ではカメラやラジコンヘリなんかも。飛行機に魅せられはや10年、気づけば飛行機のプラモデルしか作らなくなっていました、米海軍機が得意分野

こどもが産まれても続けたい模型趣味

作業ブースと塗装ブースを完全にふたつに独立!

Modeler's Room 3

Masaya Yamashiro

Homely Style

AFV模型を中心に製作活動を楽しんでいる山城雅也さん、従来の凝り性からか模型部屋は充実のひとこと。二部屋を繋いで作り出したためスペースも充分という「なんでもそろってる」模型部屋をご紹介いたします。

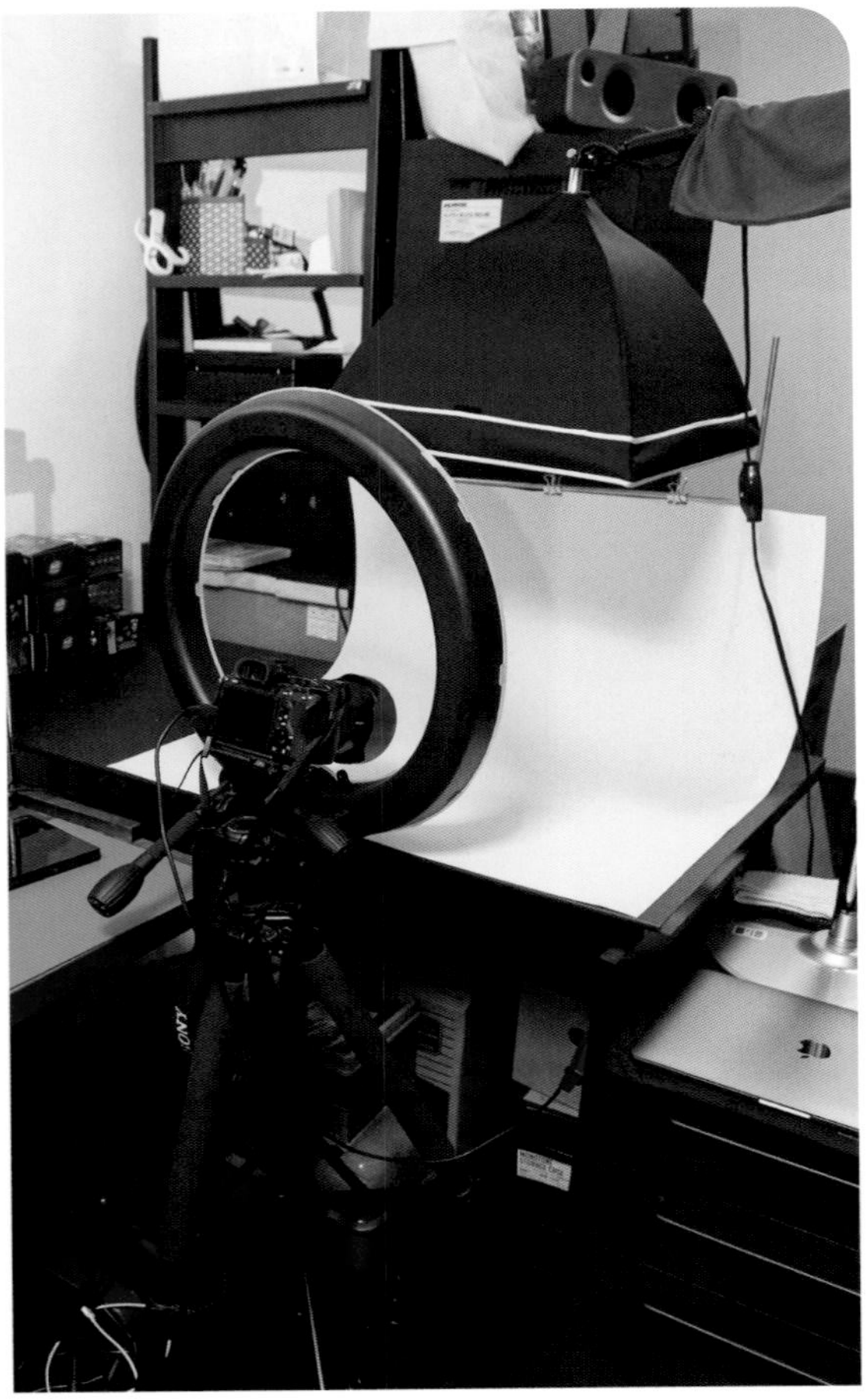

▲塗装ブースはオーダーメイドのもので、吸引力には満足しているという
◀途中写真などを撮影するための撮影ブースは常設してあり、手軽に撮影が可能となっている。トップライトを設置するなど本格的だ

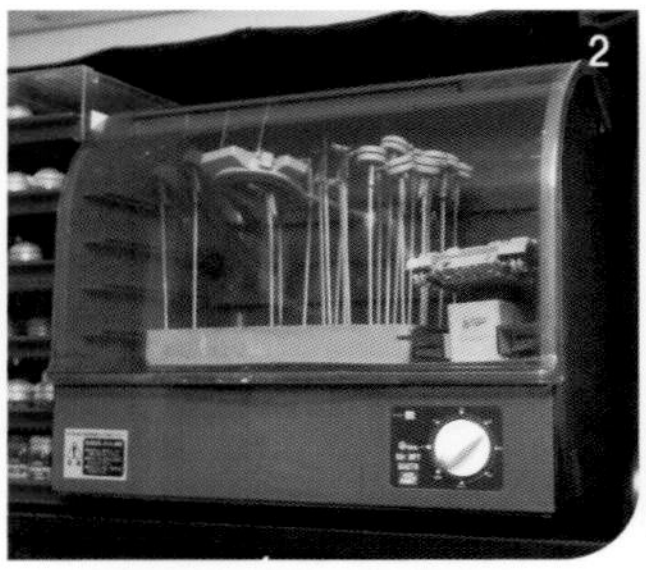

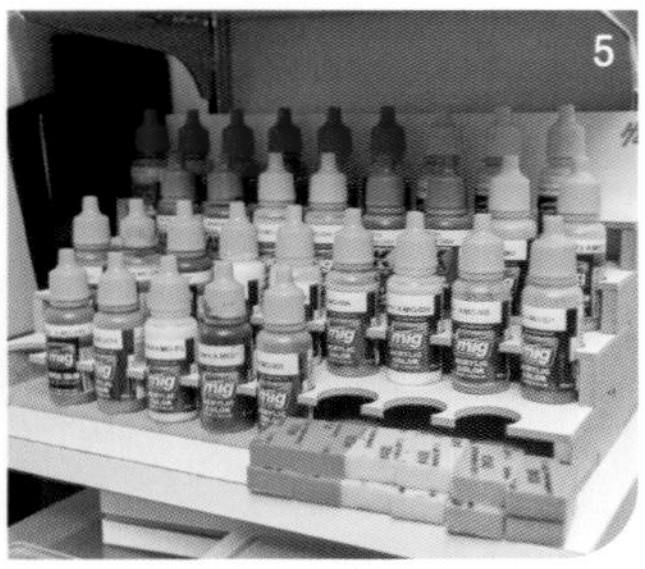

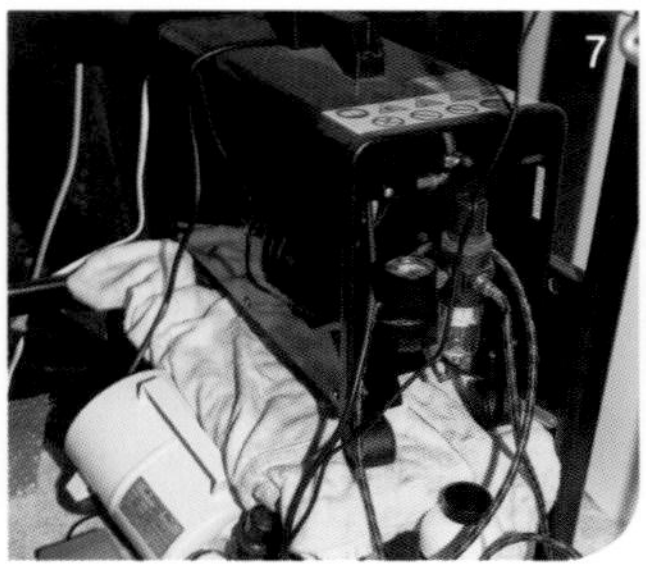

Yamashiro's Room

Room Spec

- 場所：大阪府大阪市
- 住居形態：集合住宅
- 築年数：35年
- 建物全体の間取り：4DK
- 模型部屋の間取り：四畳半ふた部屋を一部屋にして使用
- 家族構成：妻とネコ3人（近日第一子誕生予定）

1筆は筆立てに設置。使っている筆は高価なものから安価なものまでひととおりそろえている。**2**乾燥ブースは専用品。塗装ブースの上においている。**3**ピンセット、はさみや塗料皿などは工作机の上においている。**4**塗装ブースの換気には窓に換気扇を設置し、それと同時に排気している。**5**アモの塗料は専用ラックに保管している。**6**エアブラシはダブルアクションのものを2本だしていて、それ以外は収納している。**7**コンプレッサーはエアテックスのオイル型のものを使用。音がほとんどしないので重宝しているという。**8**在庫キットは多数部屋の上の方に積んである **9**メインの作業ディスクではiMacを右手に配置し、ウェザリング系のマテリアルを棚において手が届くようにしている

キャラクターからＡＦＶまで。幅広い作風が部屋の充実度を加速させる

元々趣味を全く持たずに仕事ばかりしていたのですが、30歳を過ぎた頃に模型と出会うこととなりました。当時は街の模型製作スペースでの製作が中心でしたが、自宅に設備を整えればもっと完成品をたくさん作れるのでは？と考えるようになり、自宅にそのスペースを確保することになりました。

当時はキャラクターモデルの製作中心だったので、まずエアブラシが使える環境を整えることから始めました。紆余曲折あり、現在は塗装ブースにMOTOブースを使用しています。特注したこのMOTOブースは私の製作スペースのなかでも自慢のひとつ。長く模型を楽しむには溶剤や臭いへの配慮は欠かせません。それならばできるだけ良いものを使用することも、大事なポイントとなります。排気用のダクトも窓ガラスに開口して接続、併せて換気扇も設置しているため部屋の溶剤臭はほぼ解決されています。塗装ブース周辺には塗料保管用のラックを配置、ラッカーやアクリルなどエアブラシで使用する塗料を置いてあります。

徐々にＡＦＶ製作に軸足を置くようになり、もうひとつ机を配置し作業によって使い分けるようになりました。こちらでは工作や筆塗りの作業を行なっており、家具屋でセミオーダーし身長に合わせた高さのものを設置しています。長時間座っての作業が多いため、机や椅子にもこだわりました。そうしたことを考慮して設計されたゲーミングチェアはとくにオススメです。壁には棚を設置し、筆塗り用の塗料を配置しています。メインのＰＣもこちらに。さらに途中写真や完成品の撮影に使用する撮影ブースも作業机の横に設置しています。背景紙と照明を常設することで、途中工程の撮影の利便性を確保しています。それ以外にも、完成品を保管するショーケースや、資料用の書籍をいれる本棚（大型の本棚2つにびっしりと資料本や模型誌が……）、ダイオラマ素材を保管する棚があります。

年末に第一子が産まれる予定なので、今後どのように生活が変わるかわかりません。しかし、可能な限り家族への配慮を欠かさず、模型を続けていければと思っています。ゆくゆくはこどもと共に模型が楽しめればなぁ……なんて思いを抱きつつ今日も模型製作を楽しんでいます。

山城雅也

やましろまさや／1981年生まれ。大阪市在住。30歳を過ぎてから模型製作と出会い、それ以来すっかり生活の中心に。本業の音楽家の傍ら、AFVを中心に作例の発表を行なっている。

▲外出先でも模型が作れるツール一式が入ったツールボックスも準備

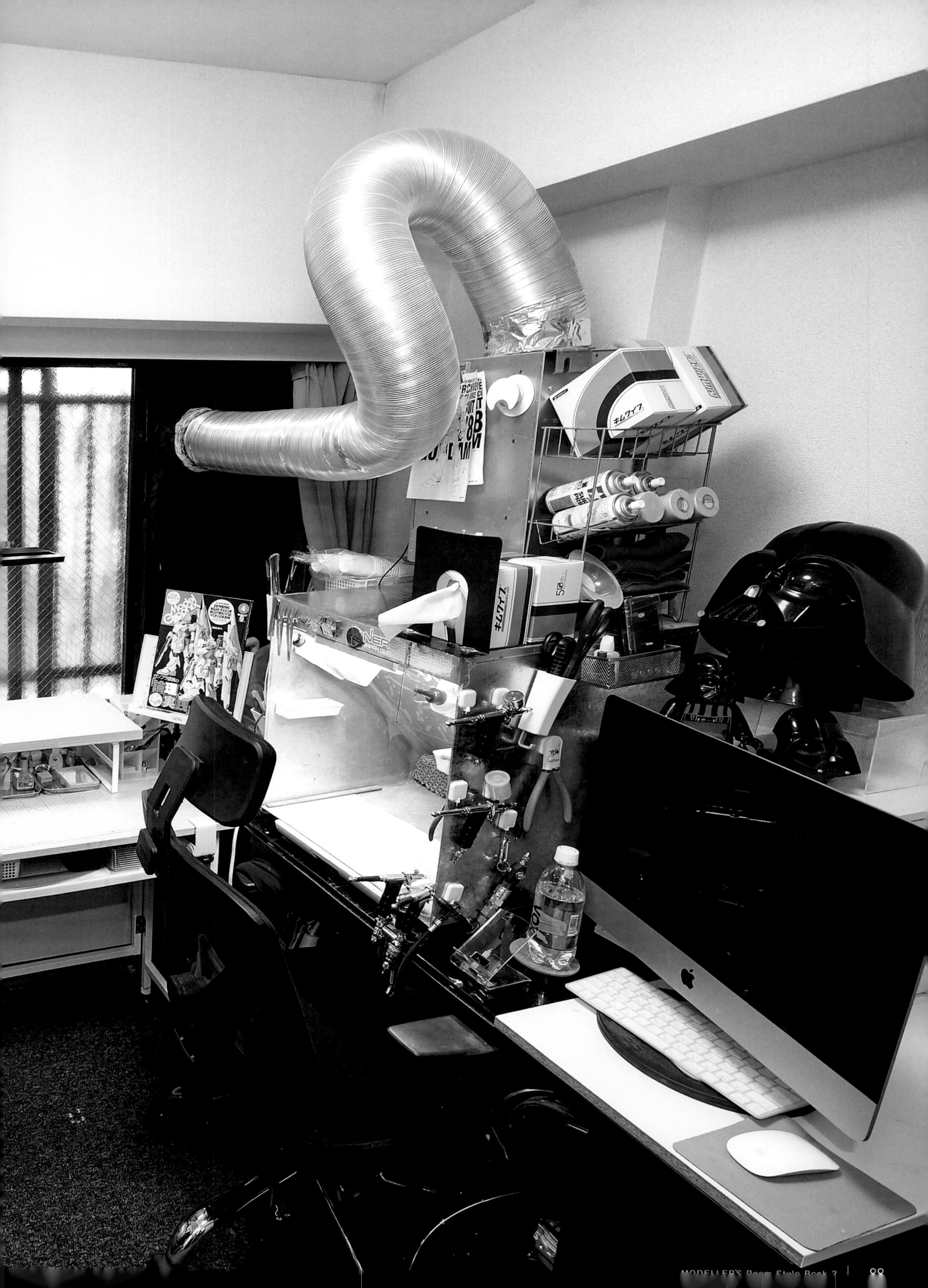
キムワイプ
キムワイプ

考え抜いたレイアウトが安心感を生む模型部屋

狭いながらも効率的な模型製作環境

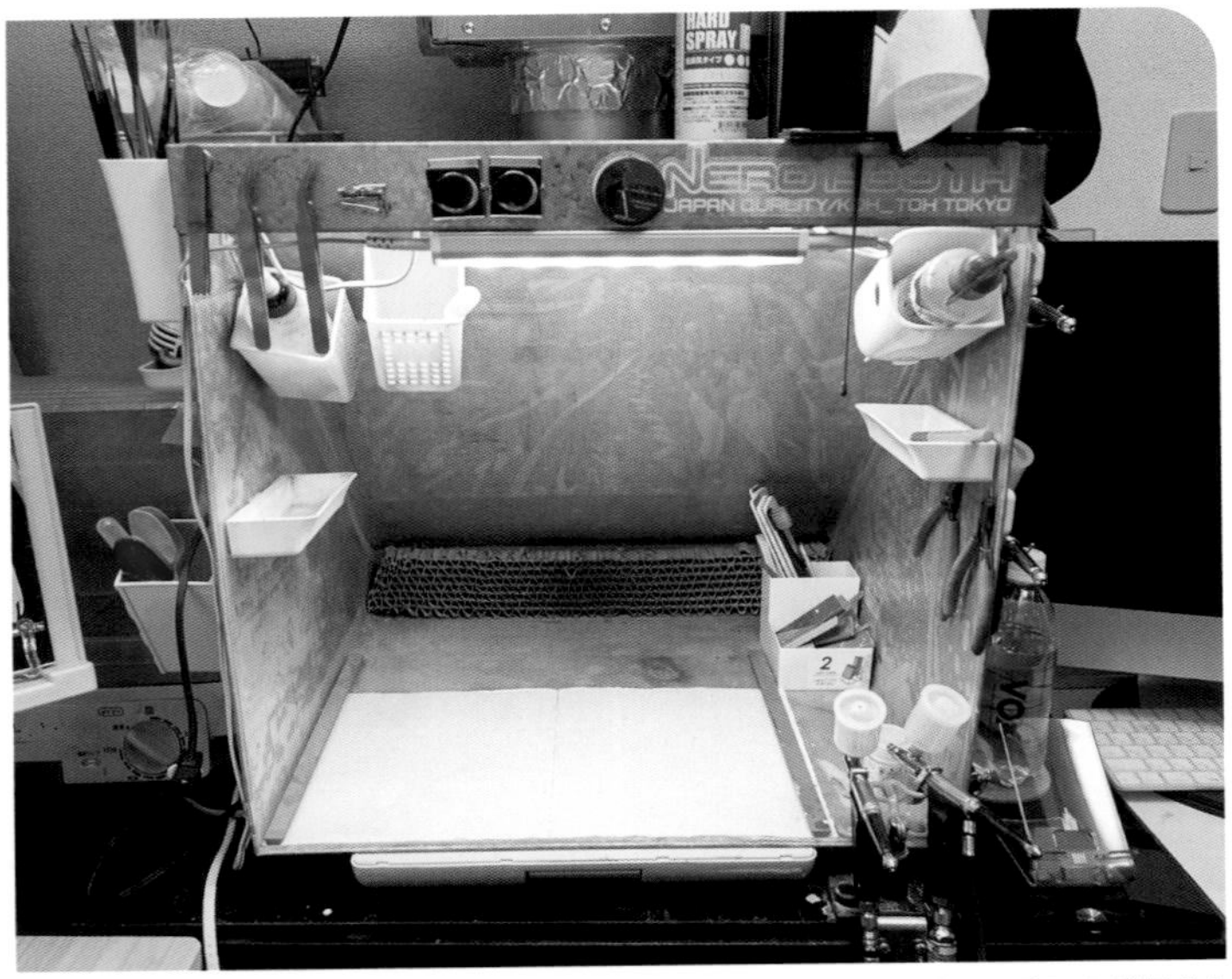

▲使用している塗装ブースはガットワークス製ネロブース。非常に強力な吸引力でモデラーに愛用者も多い。吸い込み口には強力すぎてティッシュ等が吸い込まれないように猫の爪研ぎを切ってはめている

Modeler's Room 3

GUCCI

Homely Style

GUCCIさんは、作業のほとんどを塗装ブースのなかで作業するそうです。そうすることによって塗装時のミストはもちろん、ヤスリ掛けの粉塵なども吸いだしてくれるそう。そのおかげで狭くてコンパクトな模型部屋ながらきれいな状態を保っています。

現在の部屋の配置はかなり吟味したもので、『月刊モデルグラフィックス』の「模型部屋を作ろう！」の連載記事はとても参考にさせていただきました。（昔は模型部屋の情報が少なかったので本当にこの連載はありがたいです。）

昔はツール類も買っては増え続けていたのですが、最近は使用する工具も絞られてきたので、なるべくミニマムに、モノを減らす方向でセッティングをしています。

この部屋の中核を担っているのが「ネロブース」。5畳の狭いスペースに、これが無ければこの部屋の配置は成立しないと言っても過言ではありません。

ネロブースを持っていないときはブースのスペースのほかにヤスリ作業のスペースを確保する必要がありましたが、現在はネロブース内でヤスリ作業を行なうので（ネロブースは粉塵の廃棄も行なうため）省スペースに収まっています。道具類等は自分なりに使いやすいように加工したものも多いのでご紹介したいと思います。

●塗装ベース

塗装ベースは百円均一ショップで購入した有孔MDF板を5枚両面テープで重ねて固定し、裏をコルクボードで蓋をしたモノを使用しています。

太めの塗装持ち手が横ブレせずに保持できること、ベース自体が作業台として機能すること、片付けの手間がないこと、パチ組み時に塗装持ち手にランナーを挟んであげればランナーハンガーになることなど、1セット600円で簡単に作れるのでオススメです。

▼机の引き出しには塗装用の持手が大量にしまわれている。

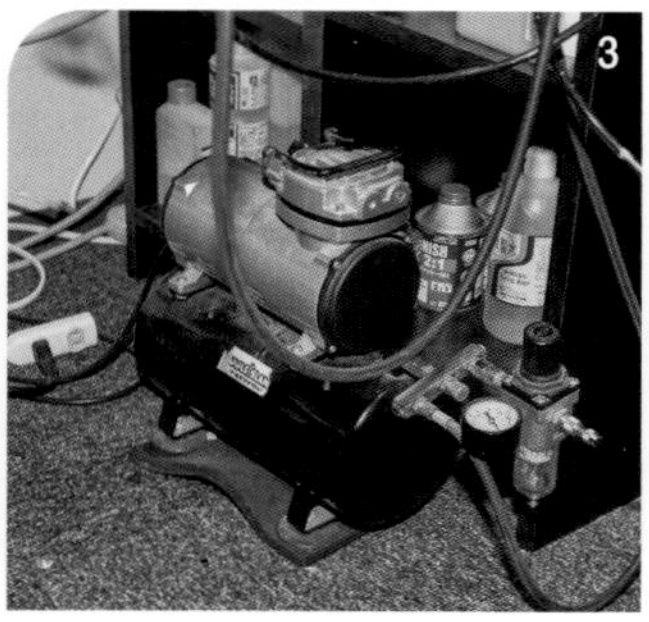

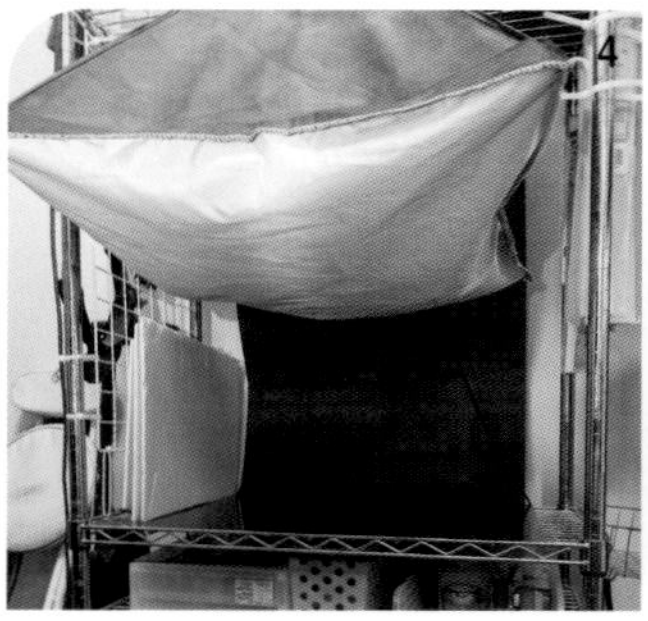

1ネロブースは磁石が付くので側面にニッパーやエアブラシを磁石で止めて保管することができる。 2机の二段目の棚下にはトレイに載せた接着剤やシアノン、そのほか工作に使う道具が整頓されておかれている。 3コンプレッサーはエアテックスのタンクつきのものを使用。 4いつでも撮影できるように塗装ブースとトップライトを常設している。 5エアブラシは用途によって使い分ける。クリアー用、メタリック用、ソリッドカラー用、サーフェイサー用など4本以上準備しているという。 6乾燥ブースは山善の食器乾燥機を愛用。 7エアブラシの先に歯ブラシをつけた自作品。塗装前にこれでエアを吹きながら清掃するという。 8塗料は複数個所に保存しているが、GSIクレオス製の段ボール製塗料ケースを愛用している。ラベルに何が入っているかかいているのは分かり易く時短のため

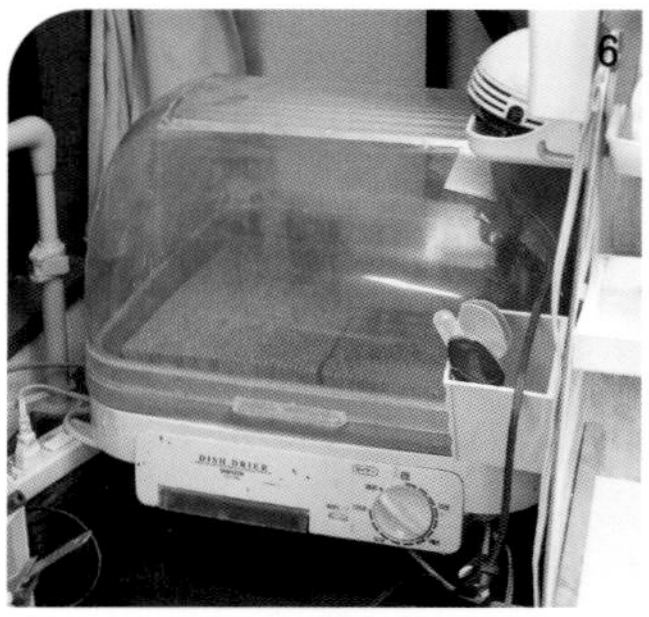

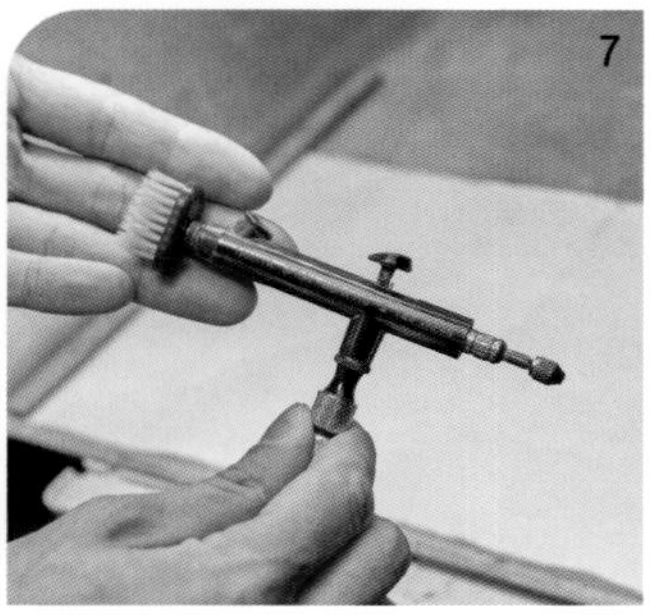

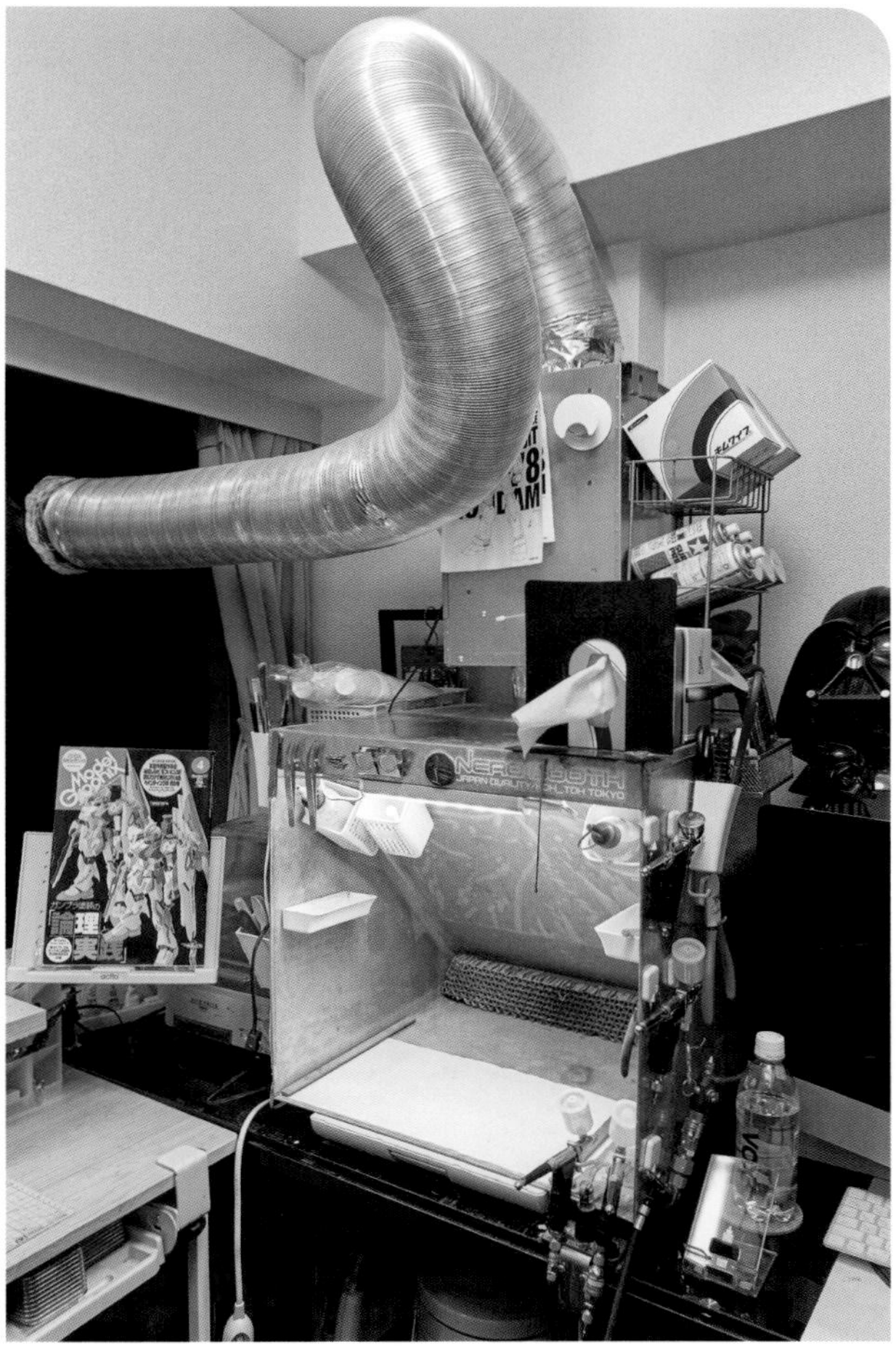

考え抜いたレイアウトが安心感を生む模型部屋。

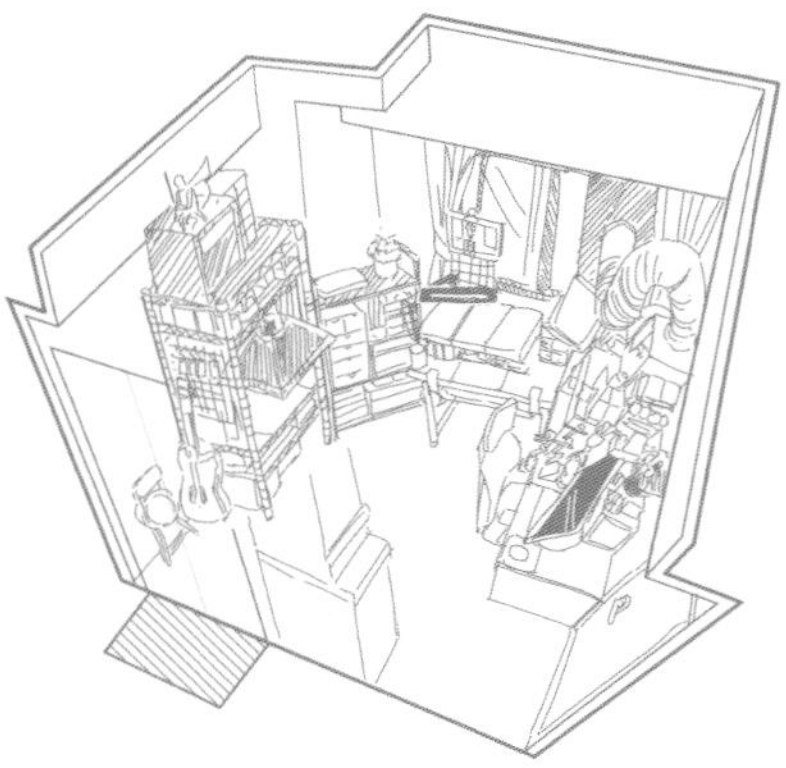

GUCCI's Room

Room Spec

- 場所：横須賀市
- 住居形態：賃貸マンション
- 建物全体の間取り：2LDK
- 部屋の広さ：5畳・住人構成
- 家族構成：奥さん

●歯ブラシエアーブラシ

使わなくなったエアブラシに、歯ブラシの先端部分に開口し、接続しただけのものですがコレがとても便利で、スジ彫りに溜まったカス取り、パーツのホコリやカスをエアーとブラシで掻き出してくれので非常に重宝しています。ネーミングが雑なので何かカッコいい横文字などがあれば教えてほしいですね。

●撮影ブース

アルミラックにバンク灯を吊るして構成しています。百円均一ショップで購入したスチレンボードをブックエンドに固定して、光が回るように配置しています。

●卓上ミニゴミ箱

デカールの剥離した台紙や綿棒、爪楊枝など、細かいゴミは捨てるのが面倒なので、ネオジム磁石と中華調味料の空き缶を使って自作しています。ネオジム磁石でくっつくので、金属の部分には自由に配置出来、転倒防止にもなるので便利です。

●ギター

主に作業をミスしたときに弾きます。すぐに弾けるようにシールドは挿しっぱなし。

思い返してみると過去にやったレイアウトはヒドかったものも多く、いまの部屋よりも広いこともありましたが、狭い部屋でも工夫をすれば満足のいく部屋にできるかと思います。「模型部屋を作ろう！」にはたくさんのヒントがあると思うので、みなさんもぜひ参考にしてみてください。■

GUCCI

ガンプラメインで製作をしている。原作を意識したプロポーション改修を得意とする。最近転職をして自動車塗装の仕事に就職した。

キムワイプ
キムワイプ
TAMIYA
PRESOL
プレソル

自宅の一室を完全にホビー用にカスタマイズ

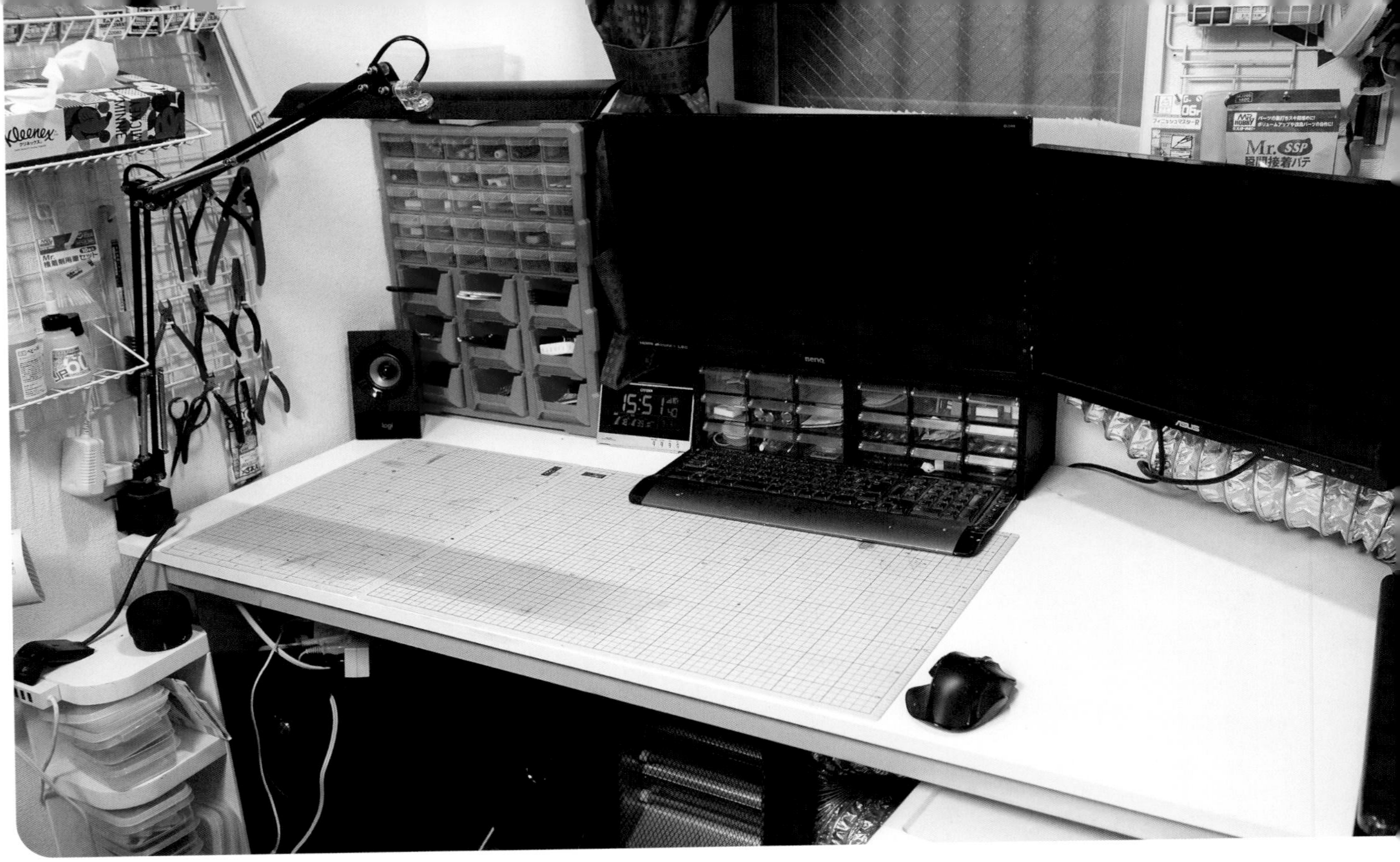

常に整理整頓を心掛け
居心地のよい空間を保つ

Modeler's Room 3

ABSN

Homely Style

常にきれいな状態を保つことが模型部屋維持のモチベーションとなっているあぶさん。そのためにも在庫キットは極力持たないというスタンスが潔いし、机の上もきれいで広い。普段からこの状態を保っているというから驚きです

▲広く整頓された作業机と、並んで配置された特注のネロブース。底面から排気するように作られている

◆制作環境

作業しないときは、机の上のものを全部片付けるようにしています。模型以外にもPCで作業をしたり、部屋で映画を見たりするのでなるべく片付けてある状態にするように心掛けてます。よく使う工具はトレーの上にまとめて机の引き出しに入れて、すぐ取り出せるようにしています。PCのディスプレイはモニターアームに固定しているのでディスプレイの下に引き出しを設置してスペースを有効活用しています。机の左奥に設置してある小物収納ラックには工具のほか、ヤスリなどの消耗品を収納。机の左側のワイヤーラックにはニッパーやペンチ、接着剤などの使用頻度の高い道具をひっかけています。

◆塗装ブース

じつのところ、ネロブースを導入する前はリビングの横のベランダで、周りをブルーシートで養生して半野外塗装をしていました。部屋のなかで塗装するとどうしても溶剤の臭いが気になっていたのですが、5年程前、がっとねろ氏に試作段階のネロブースを勧められて導入に踏み切りました。塗装ブースの上を有効活用したいという要望を聞いてもらい、排気ダクトをブース下部に設計してもらった特注品です。置く場所がかなり限定されますが、ブースの上がスッキリしていてかなり気に入ってます。もう6年くらい使ってますがまだまだ調子いいですね。部屋のなかでウレタンクリアーを吹いても全然平気です。それでもマスクは必ず装着しましょうね。

また、切削などのリューターを使った削りカスが大量に出る作業もブースのなかで済ませられるよう、ブース右側のワイヤーラックにリューター、エアブラシを配置しています。ブースのライト、電源、コンプレッサーの電源もすぐに操作できるよう電源タップをクランプで机に挟み込んで固定しています。排気ダクトの取り回しにはかなり気をつかいました。ネロブースから出る排気ダクトをなるべく目立たないよ

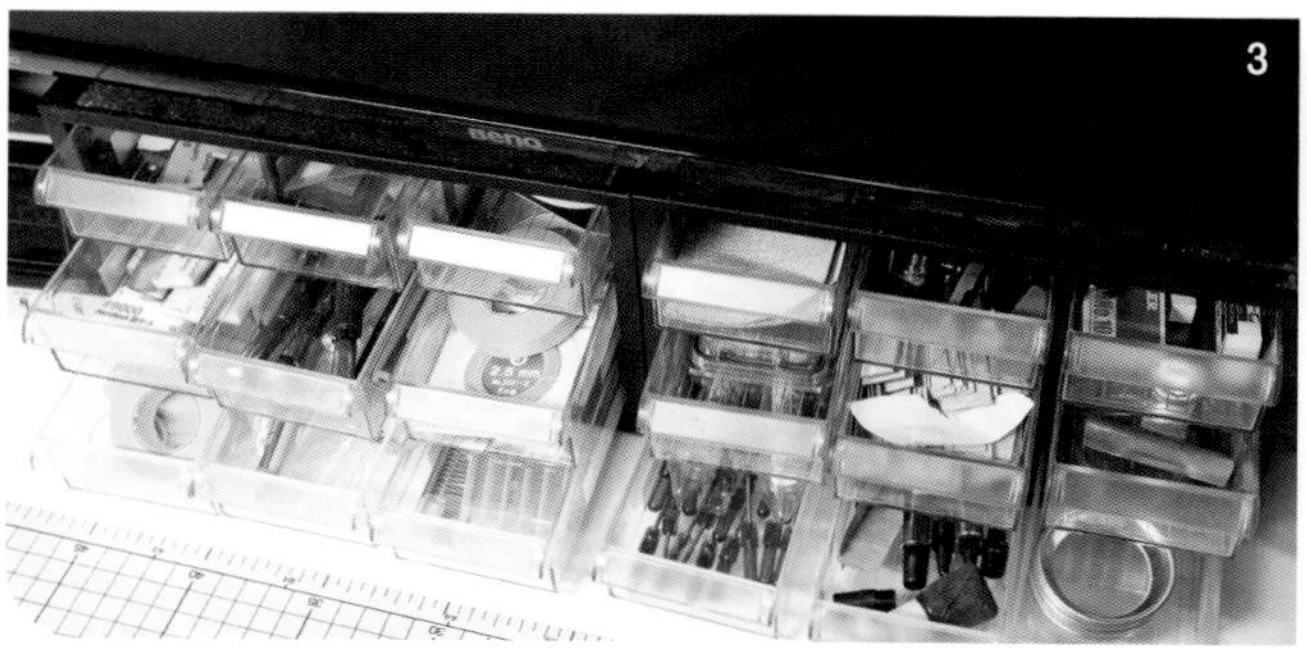

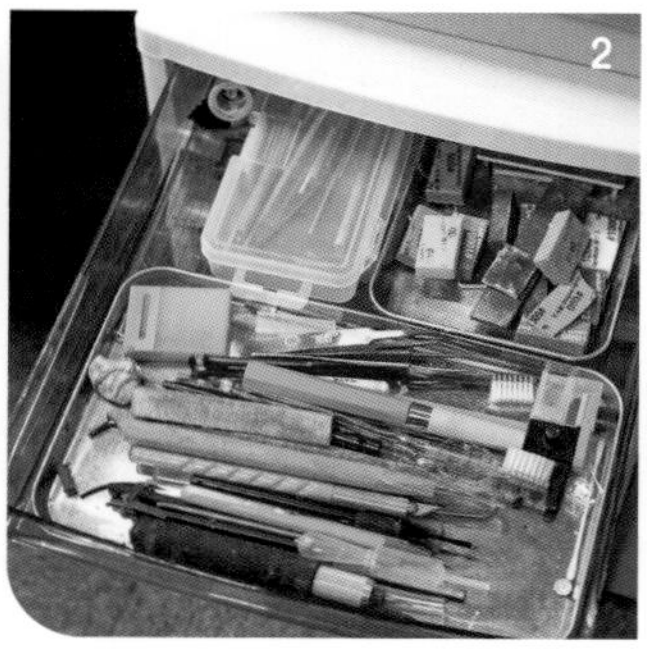

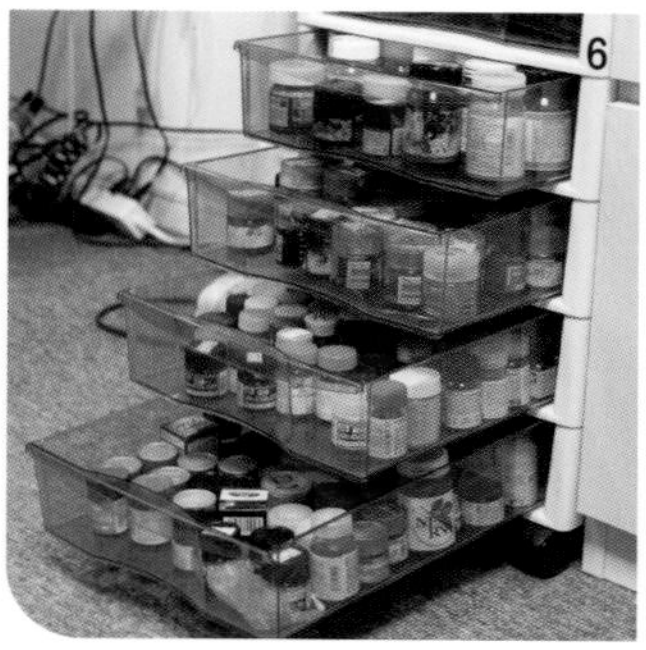

1専用のスタンドライトを置いてネロブース内の灯を確保している。 **2**よく使う道具はトレーに入れており、トレーごと机下のキャスター付き書類ケースのなかにしまっている。 **3**モニター下のスペースには小物用の引きだしを準備しており、マスキングテープや塗料皿などそれぞれに分けられて収納されている。 **4**エアブラシは、クリアー系、ソリッド系、ウレタン用など使い分けて効率化をはかっている。 **5**コンプレッサーはエアテックスの単気筒のものを使用している。音は気ににならないそうだ。 **6**後ろのレターケースには塗料がしまわれている。ガイアノーツの大瓶も入るサイズのものを使用。 **7**撮影ブースもフォトラを常設しいつでも撮影できるようになっている

とにかくキレイな模型部屋を目指して

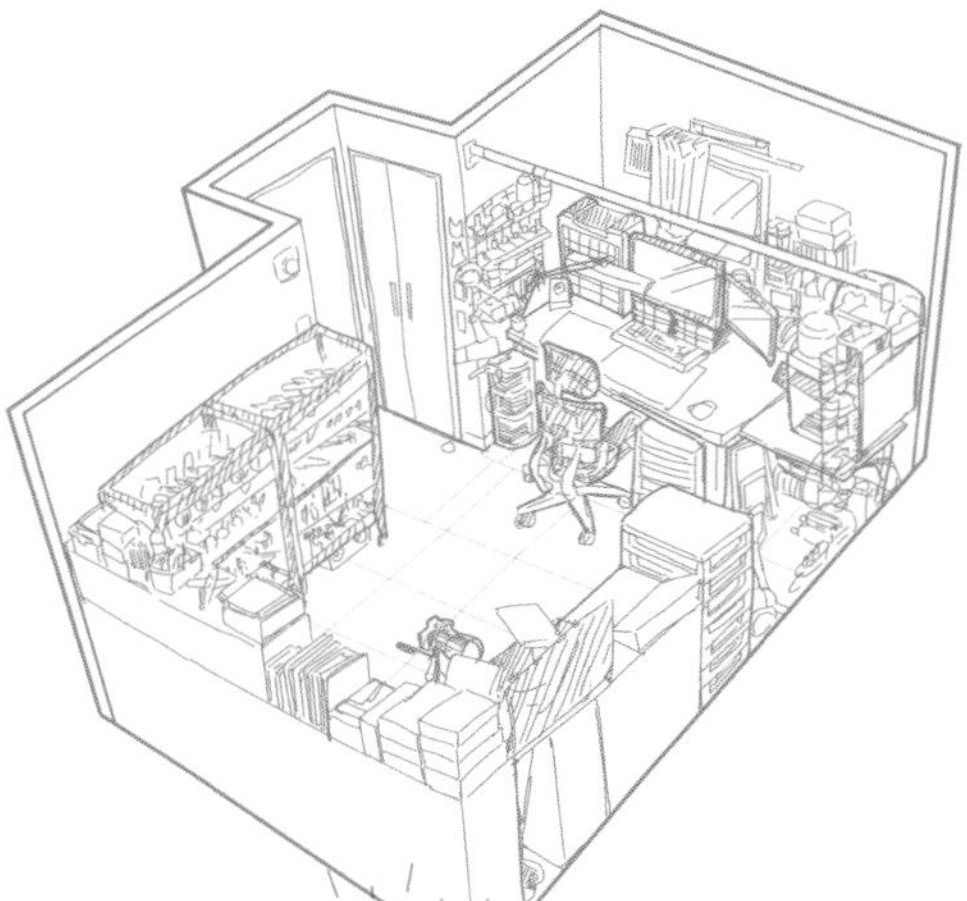

ABSN's Room

Room Spec

- 場所：東京都
- 部屋の広さ：7畳
- 住居形態：一軒家
- 家族構成：夫婦、猫二匹
- 築年数：8年

▲MotoGPマシン、ガンダム、R-Typeのガレージキットを中心にズラリと並んだ完成品の数々。完成品は展示保管している、

うにしたかったのでシロッコファンは机の下に置き、そこから窓に向かって伸びるダクトをディスプレイの裏に回して、窓枠の大きさにピッタリ合わせたスタイロフォームに取り付けています。これで、ネロブースを使いながらも銀色のダクトホースはほとんど見えなくなってしまいます。また、全3階建ての1階が模型部屋でリビングなどは2階なのもあって、臭気で家族からクレームがきたことはないですね。これも趣味を続けるのに大きいと思います。

◆ガラスケース

自分の作った完成品や友達から貰った完成品、フィギュア、ガレージキット、パチ組み、製作途中の物を乱雑に収納しています。製作途中のものをガラスケースのなかに放り投げて置くと気が向いた時に少しずつ製作が進んだりします。ガラスケースはプレステージを2台並べてます。■

あぶさん

●主にバイクや飛行機のプラモデルを好んで作る。ガレージキットディーラー地獄工場代表。イベント展示用サンプルを塗ったり、最近では模型誌の作例も手掛けている。

▼カッティングプロッタはバイク模型のマスキングの切り出しに重宝している

リビングよりも長く居ることが多い、製作スペース＆ゲームスペース

Homely Style

Modeler's Rooms

KIGUSAN

▲コンピュータに囲まれ、ゲーミングチェアが置いてあるこのスペースは、PCゲームを嗜むための機材。模型製作と塗装はコの字型に配置された別テーブルで行なう

とうとうレイアウトがコの字になりました

Modeler's Room 3

KIGUSAN

Homely Style

プロのフィニッシャーであるきぐさんは効率よく仕事をするためにと、趣味のPCゲーム環境を同化させ、コの字にワークスペースをレイアウト。製作、塗装、ゲームを一箇所でできるようにしてしまいました。

▲使用している塗装ブースはタミヤのスプレーワーク ペインティングブースⅡ（シングルファン）を愛用。排気管は使用するたびに窓を開けて挟んでいる

以前の模型部屋はワンルームだったため作業時に発生する粉塵などの掃除に悩みがちでした。そのため、今回は作業専用の部屋を準備し、作業スペースも広めに確保しています。

いままでは作業をするのに椅子の周囲ですべてが完結するように環境を構築していたのですが、今回もそれを崩さずにさらにスペースを広げています。

まず、L字デスクにPCデスクを新たに追加し、前の部屋ではL字形だったスペースをはコの字型にデスクを配置しました。作業スペース、塗装スペース、PCスペースをデスクの一片ずつに配置することで、椅子の回転ですべてにアクセス可能です。

塗装ブースは前回同様に、タミヤのスプレーワークペインティングブースⅡ（シングルファン）を使用しています。ハンドピースは3本使用しており、ダブルアクションタイプの0・3㎜、0・18㎜とトリガータイプの0・35㎜を使用しています。頻繁に付け替えるためウェーブのクイックジョイントを使用しており、コンプレッサー側にはダストキャッチャーを付けています。

塗装ブースの照明には、発色を意識し撮影用バンクライトを使用しています。また、デスクはガラス製のため塗料をこぼしても簡単にふき取ることができます。

工作スペースの方には前の部屋と同様に工作マットを2枚置いています。工具の収納には斜め型のペン立てを使用しており、小さいアルミラックに小瓶系の溶剤やニッパーを置いています。仕事柄、色の確認が重要なためカラートーンサークルや配色カードなんかもあったりします。また、頻繁に使わない道具や材料などはウォールラックにS字フックでぶら下げ、何がどこにあるかわかりやすい収納にしました。

PCデスクにはハイエンドゲーミングPCが床に置いてあり無駄に光っているゲーミング環境となっています。PCは高スペックなのでAdobeソフトがサクサク動きます。イラストレーターでのデカールデータ作製やライトルームで写真のレタッチな

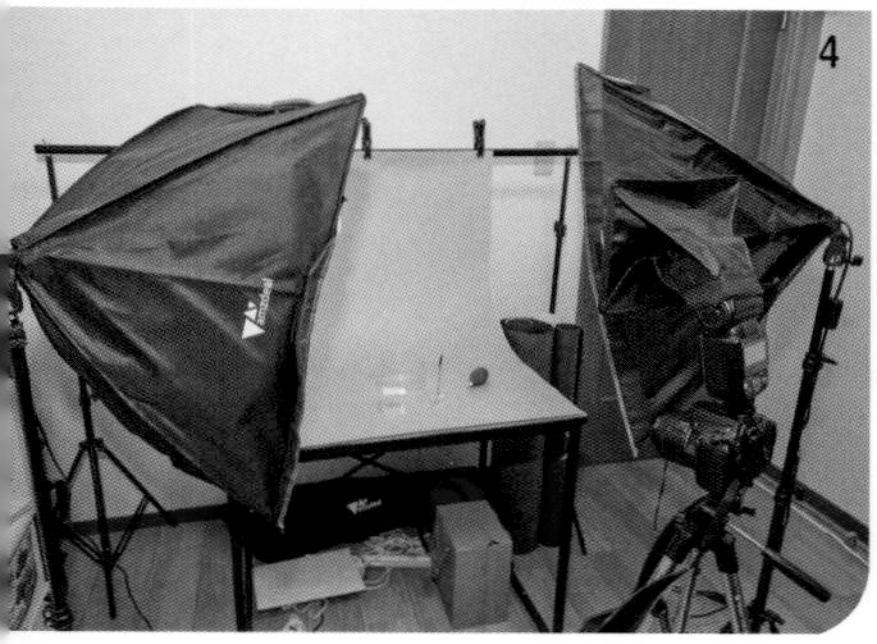

1塗料は専用ラックと、無印良品のポリプロピレン製ケースに入れて管理している。**2**工作作業机上では、ニッパーは金属ラックにSの字フックを使って引っ掛けて管理している。そのほかのツールも基本はここに集めてある。**3**塗装用の持ち手、調色皿などは塗装ブースの横にまとめて置いている。**4**撮影ブースは常設しており、いつでも撮影が可能。トップライトはなく、サイドからバンクライトを当てている。**5**よく使うツールは卓上に設置した収納におさめている **6**エアブラシはGSIクレオスのものを中心に3本所有。クリアー、ソリッドカラー、メタルカラーと使いわけている。水抜きのアダプターも使用している。**7**コンプレッサーはWAVE コンプレッサー317を使用。物件が1階のため床置きしているが、それでもゴム製の消音材を敷いて振動や音には気をつけている。**8**つっぱり棒で金網を壁に設置できる家具は前の部屋でも使っていたもの。ラックのように部材をかけて保管できるので省スペースで非常に便利。となりのカラーボックスにはガレージキットのフィギュアが在庫されている

リビングよりもここに居たい……

KIGUSAN's Room

Room Spec

- 場所：静岡県
- 建物全体の間取り：3LDK
- 住居形態：賃貸
- 模型部屋の大きさ：約6畳

▲こちらのテーブルは完全にPCのゲーミング用スペース。デュアルモニターにボイスチャット用のマイクまでセッティングしてある。好きな物だけ置いてある部屋なのだ

きぐさん

きぐさん／フィニッシャー兼モデラー。戦車、ガンプラ、美少女プラモデル、ガレージキットと幅広く製作している。本誌では、主に美少女プラモデルの作例を担当

▼フィニッシャー仕事の際に色を決めるのにカラーチップは欠かせない

んかにも使用しています。

デスク後方には撮影スペースがあり、作例の途中写真や自分の作品を撮影しています。撮影ブースには背景架とソフトボックスを2本配置しており背景紙にはレザックを使用しています。背景架とソフトボックスは安価なものであれば通販で1万円ほどで買えるため、簡単に撮影環境を作ることができおすすめです。

いつのまにか、リビングよりこの部屋にいる時間のほうが長くなっていますね。■

兄弟の部屋を大改造
作業部屋+憩いの空間に……

Homely Style

Modeler's Room

YUUSAN

Modeler's Room 3

YUUSAN

Homely Style

『月刊モデルグラフィックス』で主に美少女プラモデルの作例を担当する祐3の作業部屋は、作業部屋というより、憩いの空間と化しているのが面白い。
ここではPCゲームもするしプロジェクターで映画をみて過ごすこともあるらしい。

「兄ちゃん、ここ僕の部屋や!」

▼作りつけの棚は、DIYで作ったもの。使いやすい高さに棚を備え付けることができるのは自作の強みだ

まずは「なぜふたりの弟の部屋が模型部屋になったのか?」と言う経緯について。ちょうど9年前のいまごろに仲間内でプラモデル作りがブームになっていて、見ているうちに「自分もやってみようかな?」と思い作りはじめたのです。その際にこの部屋は10・6畳と広さに余裕もあり、楽器のリペアなどもしていて道具なども集中して置いていたので、自然とここを使いはじめたのがキッカケになります。そこから時間が経つにつれて、物作りが好きな自分はどんどんと模型作りにのめり込むようになりました。

初めは楽器のリペア作業に使っていた平脚立に、DIYで余っていた木の板を乗せたテーブルとはいいがたい机で模型を作っていました。それに不満を持ちはじめたころ、某中古ショップで500円と言う破格かつ立派な引き出し付きのテーブルを見つけました。その日のうちに弟たちに設置してよいかと了承を得に行ったことをいまでも覚えてます。この日が作業スペースもとい模型部屋になるターニングポイントだったかもしれません。

そこから月日は経ちますが、何度か改装を重ね部屋の占領率が増え、いまの模型部屋となったカンジです。本来の住人である弟たちもいつからか「作業部屋」と呼ぶようになりました(笑)。

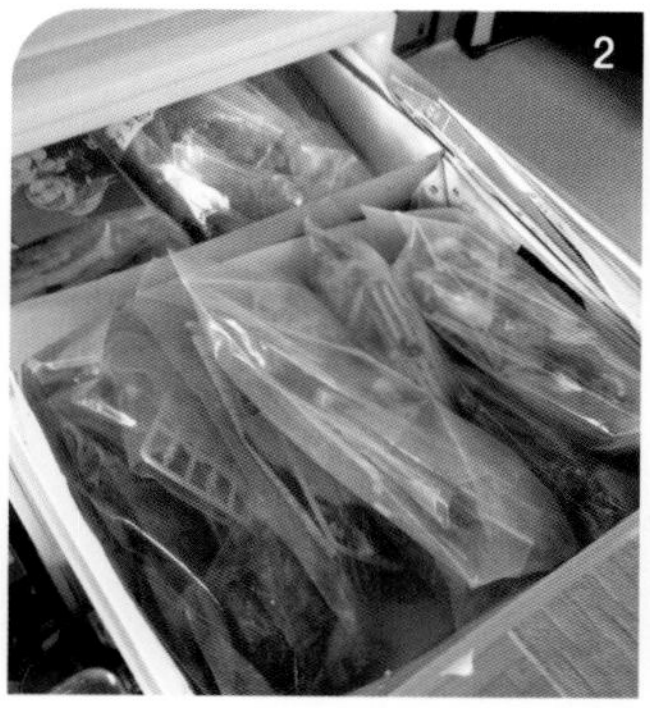

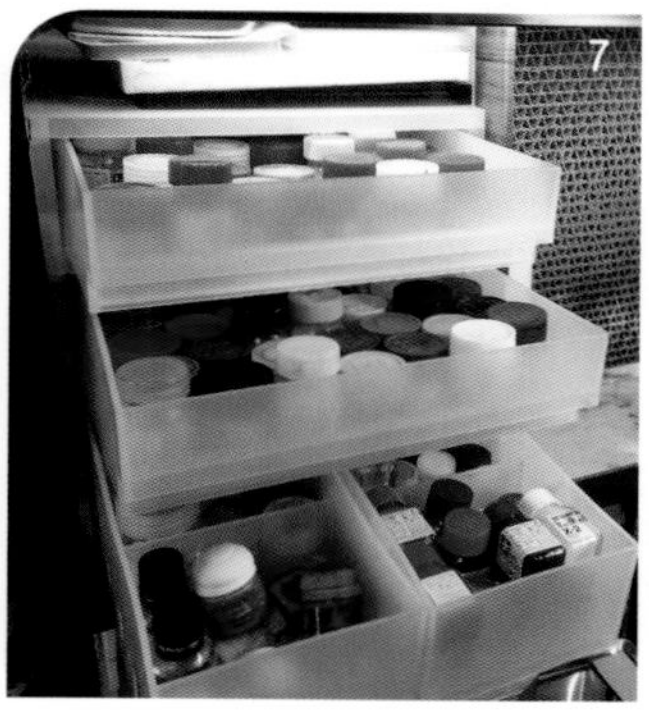

1使用頻度の低い道具やエポキシパテなどは机の引き出しにしまっている。2一部訳ありのキットやテストショットなどは袋につめて保管している。3塗料やコトブキヤのプラユニットしりーずなども引き出しに整理して保管している。4塗装ブースもスチールラックに収まるようにしたかったので、自作品を使用している。ファンは風量350㎥/hとハイパワーなPanasonic FY-27BK7というシロッコファンに、ブース枠は取り扱いが簡単なプラスチック段ボールを使用。5大小様々な穴が空いている箱はヤスリ用ケース。この上でニッパー作業から研磨までこなすことでランナーの切りカスから研磨くずまで散らばることなく作業ができる。6エアブラシはクリアー用、ソリッドカラー用、メタリックカラー用、サーフェイサー用と使い分けているが、その置いてあるスタンドは自作の物。針金を曲げ、木材に固定している。7頻繁に使う塗料は塗装ブースの横にケースにしまって保管している。8ハンドルコントローラーをセットすればPCはゲームマシンに早変わり。トラック運転シミュレーターがお気に入りとか。9DIYで作りつけた木材の棚。間接照明を入れておしゃれな雰囲気も醸し出している

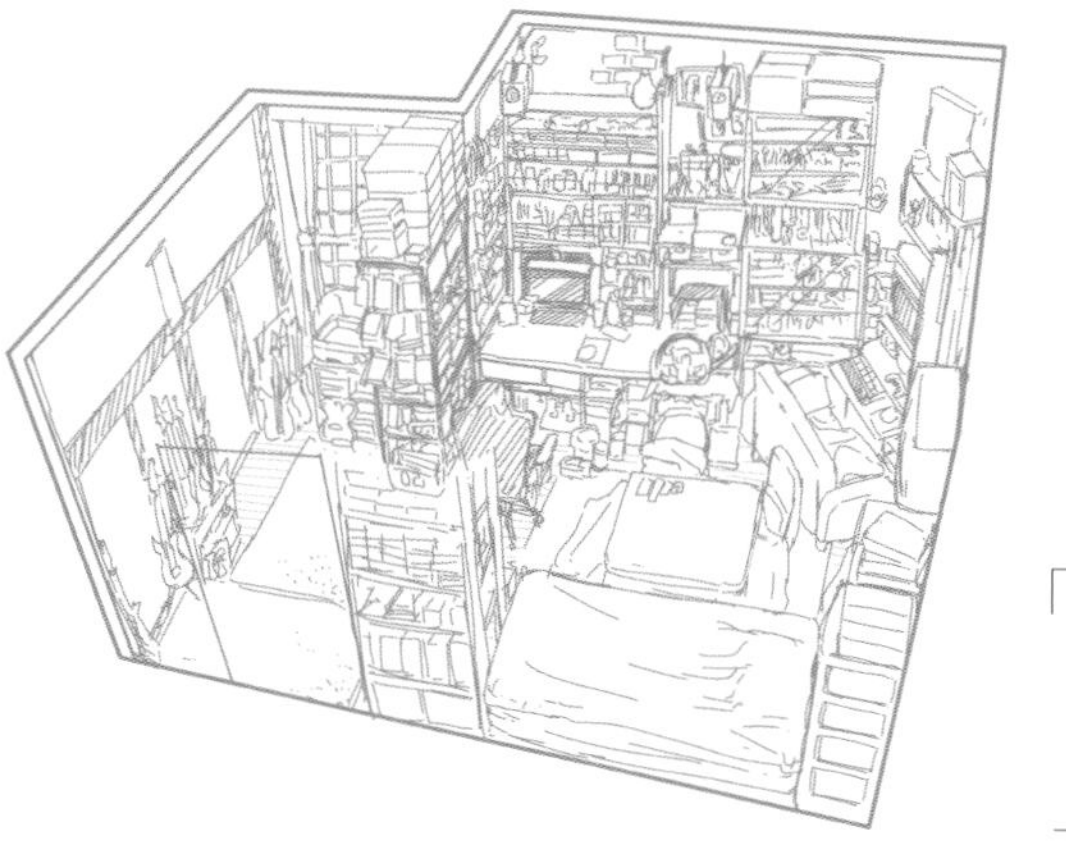

DIYで、木の温もりを感じさせる部屋に。

YUUSAN's Room

Room Spec

- 場所：三重県
- 住居形態：一戸建て住宅
- 築年数：38年
- 間取り：5LDK
- 家族構成：母、弟妹、本人
- 模型部屋の大きさ：約10.6畳

祐3

祐3(ゆうさん)／塗装のていねいさ・色選びのセンスと改造作例もこなす造形力をもつモデラー。本誌では美少女プラモデルを多く担当している。リキテックスを使った精緻なアイペイントが特徴

部屋の詳細についてですが、モデラーというのは時間がたつと物が増えていく生き物。棚は必須ですが、このような家具は市販のものだとちょうどよいサイズを見つけるだけでも時間がかかりますし、買った家具のサイズを基準に部屋の構成を考えないといけなくなるというのが嫌です。そこで自分の思いとおりにできるDIYで棚を作り、収納スペースにできる空間は全て有効活用できるようにしています。

その際ひとつ大切にしていることは、作業効率のよい機能性とオシャレに見えて落ち着ける環境で作業を行なえる空間作りです。作業中の集中力を高める為には「移動を最小限に身体の向きを変えたり手を伸ばすだけで必要な道具が手に取れ、次の作業が行なえる構成」。そして「物が溢れゴチャゴチャしていたとしてもそれが味になり、圧迫感を出さずオシャレに落ち着ける」……。となれば海外のガレージのワークベンチしかありません！　そんなイメージで作ってます。DIY素材は木材をメインにしてることも、自分のなかで落ち着きポイントが高いです。

そんなこの部屋は作業部屋でありながらも、弟の部屋でもあるので互いの好きなもので溢れており、夜には必ず晩酌しながらプロジェクターでアニメや映画、ゲームなどをいっしょに楽しんだりと自分の部屋よりも長く居るいちばんお気に入りの空間となっています。■

編集／Editer
モデルグラフィックス編集部
関口コフ

撮影／Photo
インタニヤ
井出浩一

装丁／Bookbinder,Cover Design
福井政弘

デザイン／Design
波多辺健（ハタ）

イラストレーション／Illustration
もやし

取材協力／Collaborators
寝太郎23
小宮山満雄
ピコ
山村忠義
K.Z.G.
笹原大（R工廠）
WildRiver荒川直人
平井真
ガットワークス
ハタ
久保憲之
國谷忠伸
ボウイナイフ
さたまみ
とびぶた
ちゃりお＆稲井蛟一
徳永陽太
山城雅也
GUCCI
あぶさん
きぐさん
祐3

協力／Special thanks
アーマーモデリング編集部
大橋わか

モデラーズルーム スタイルブック 3

発行日　2022年8月14日 初版第1刷

発行人／小川光二
発行所／株式会社 大日本絵画
〒101-0054 東京都千代田区神田錦町1丁目7番地
URL; http://www.kaiga.co.jp/

編集人／市村弘
企画／編集 株式会社アートボックス
〒101-0054 東京都千代田区神田錦町1丁目7番地
錦町一丁目ビル4階
URL; http://www.modelkasten.com/

印刷／製本　大日本印刷株式会社

内容に関するお問い合わせ先: 03(6820)7000 (株)アートボックス
販売に関するお問い合わせ先: 03(3294)7861 (株)大日本絵画

Publisher/Dainippon Kaiga Co., Ltd.
Kanda Nishiki-cho 1-7, Chiyoda-ku, Tokyo 101-0054 Japan
Phone 03-3294-7861
Dainippon Kaiga URL; http://www.kaiga.co.jp
Editor/Artbox Co., Ltd.
Nishiki-cho 1-chome bldg., 4th Floor, Kanda
Nishiki-cho 1-7, Chiyoda-ku, Tokyo 101-0054 Japan
Phone 03-6820-7000
Artbox URL; http://www.modelkasten.com/

ISBN978-4-499-23355-2